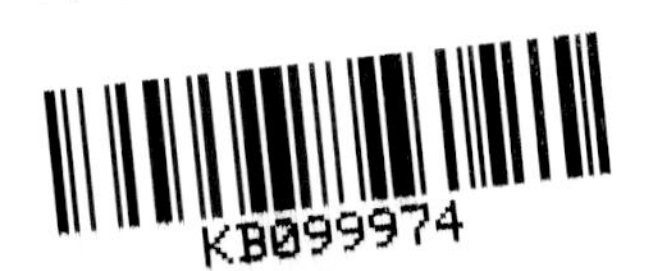

5~6세
가

어린이 국어 따라쓰기

편집부편

와이 앤 엠

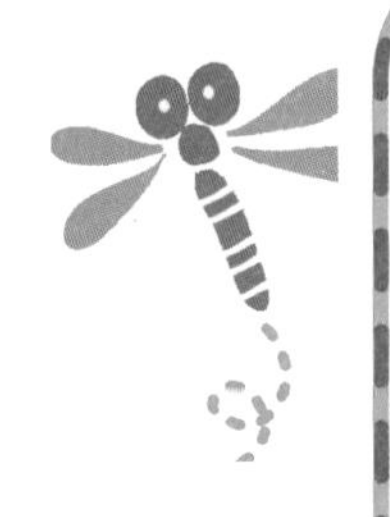

차 례

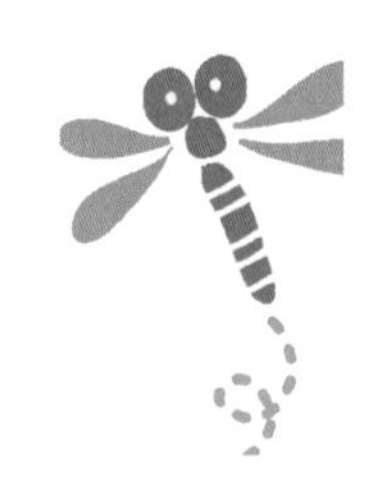

어린이 국어 따라쓰기

가

색연필로 빈칸에 ㄱ을 예쁘게 써 봅시다.

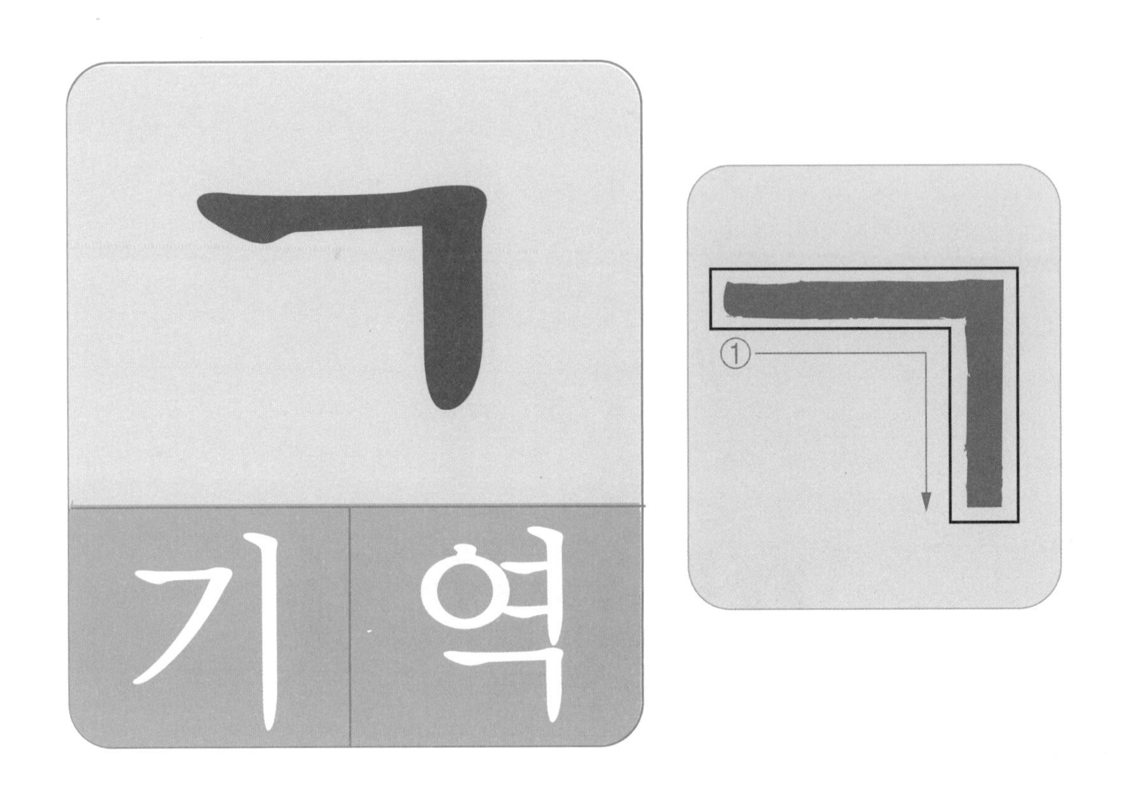

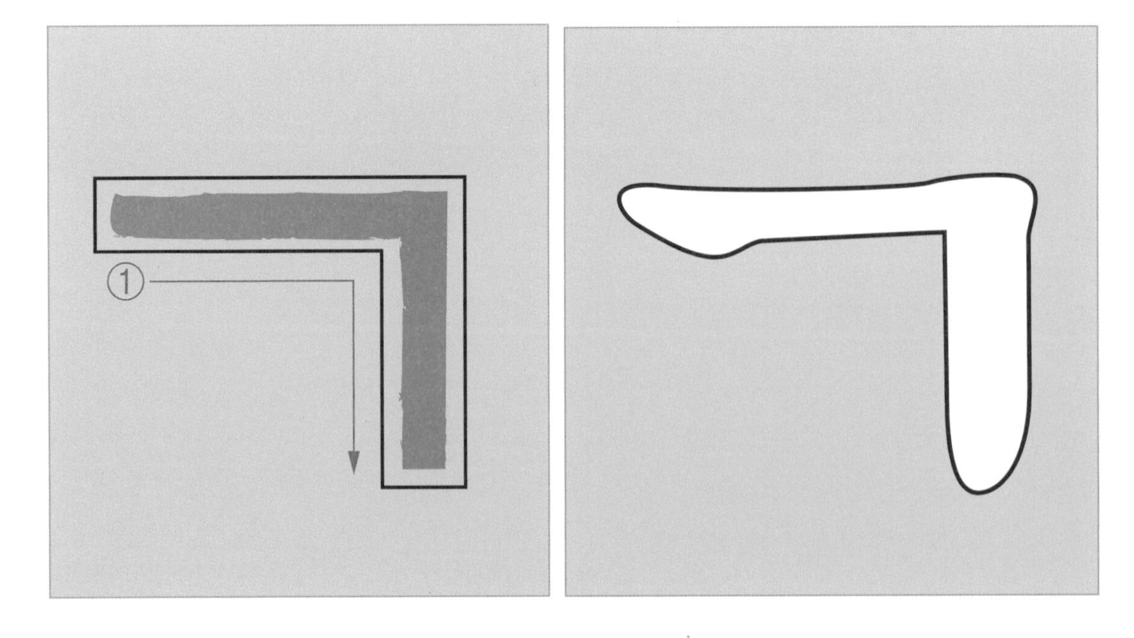

자음자 '기역'을 익히고 예쁘게 따라 써 봅시다.

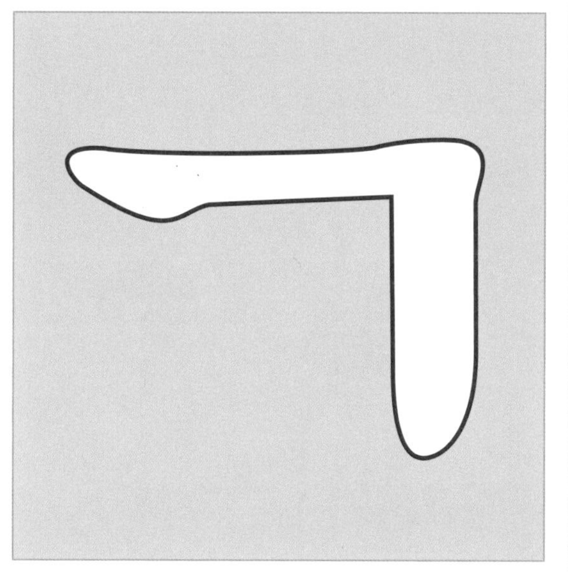

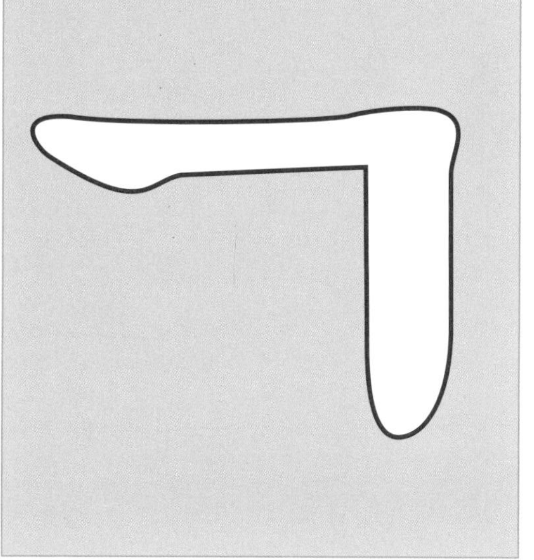

☆ 자음 'ㄱ, ㄴ, ㄷ'을 모두 찾아 봅시다.

자음 'ㄱ, ㄴ, ㄷ' 을 따라 써 봅시다.

'ㄱ ㄴ ㄷ'이 들어간 글자를 선으로 연결하여 봅시다.

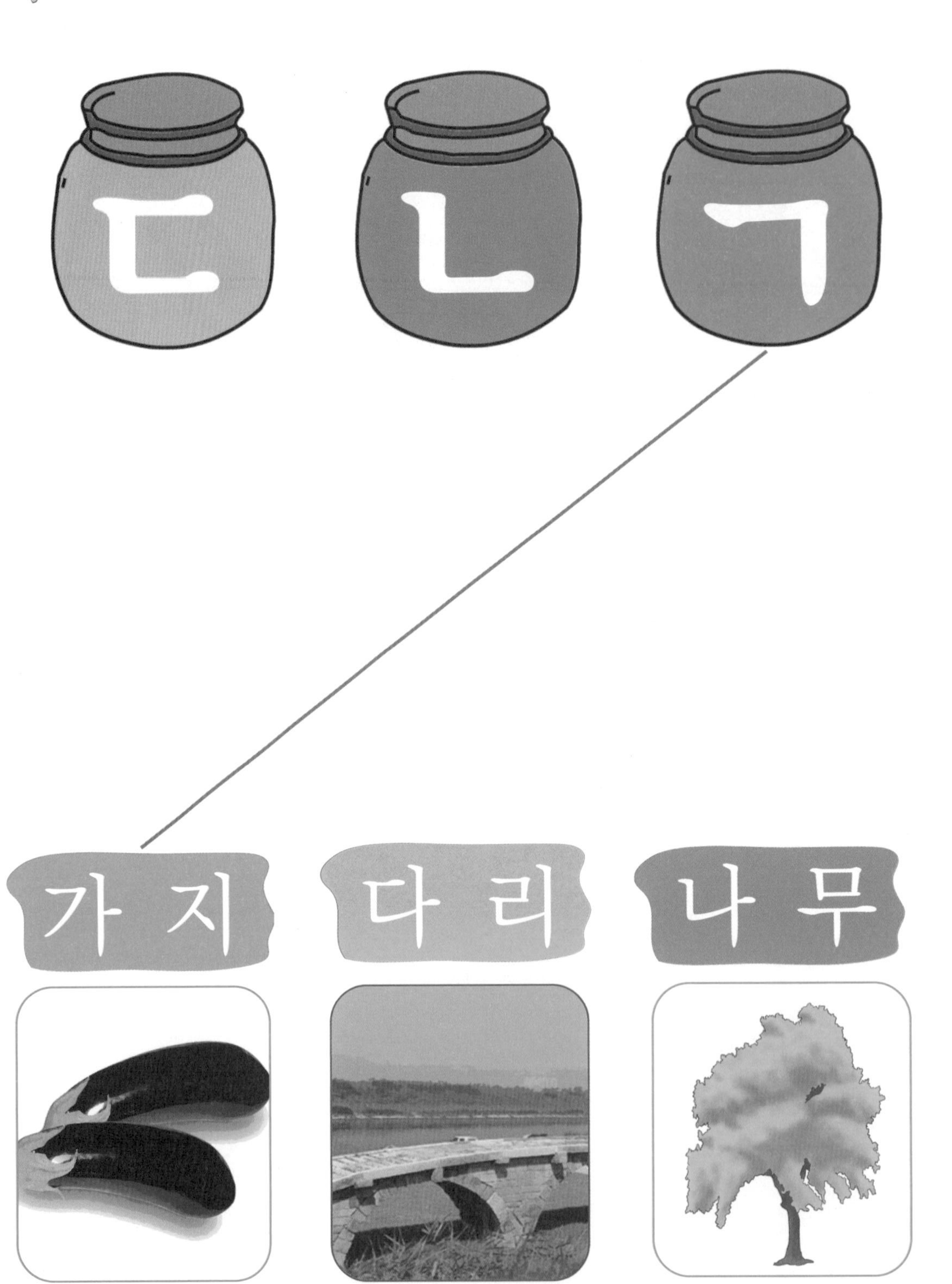

 'ㄱ ㄴ ㄷ'이 들어간 낱말을 예쁘게 따라 써 봅시다.

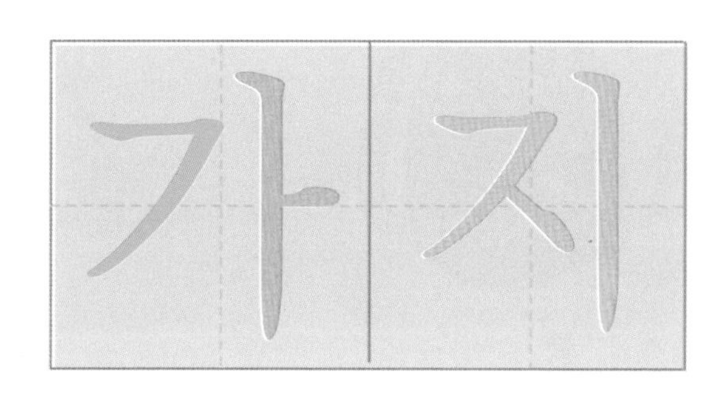

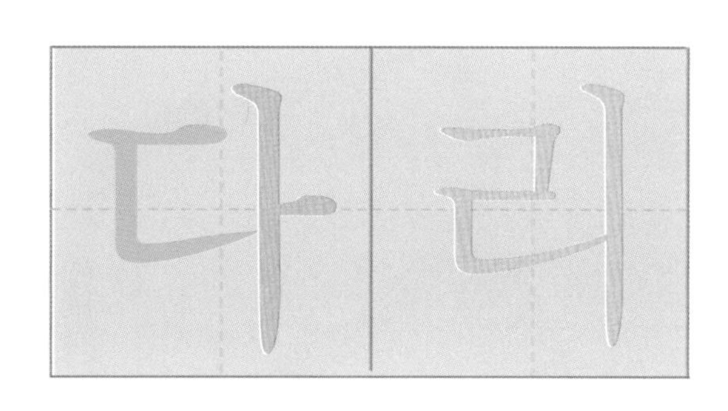

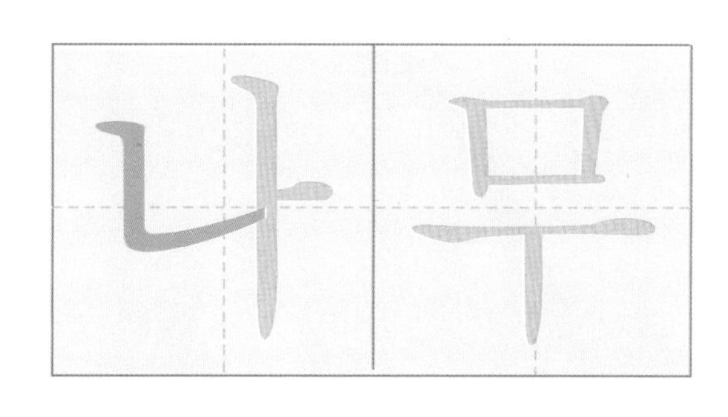

선이 서로 어떻게 연결되어 있는지 따라가 봅시다.

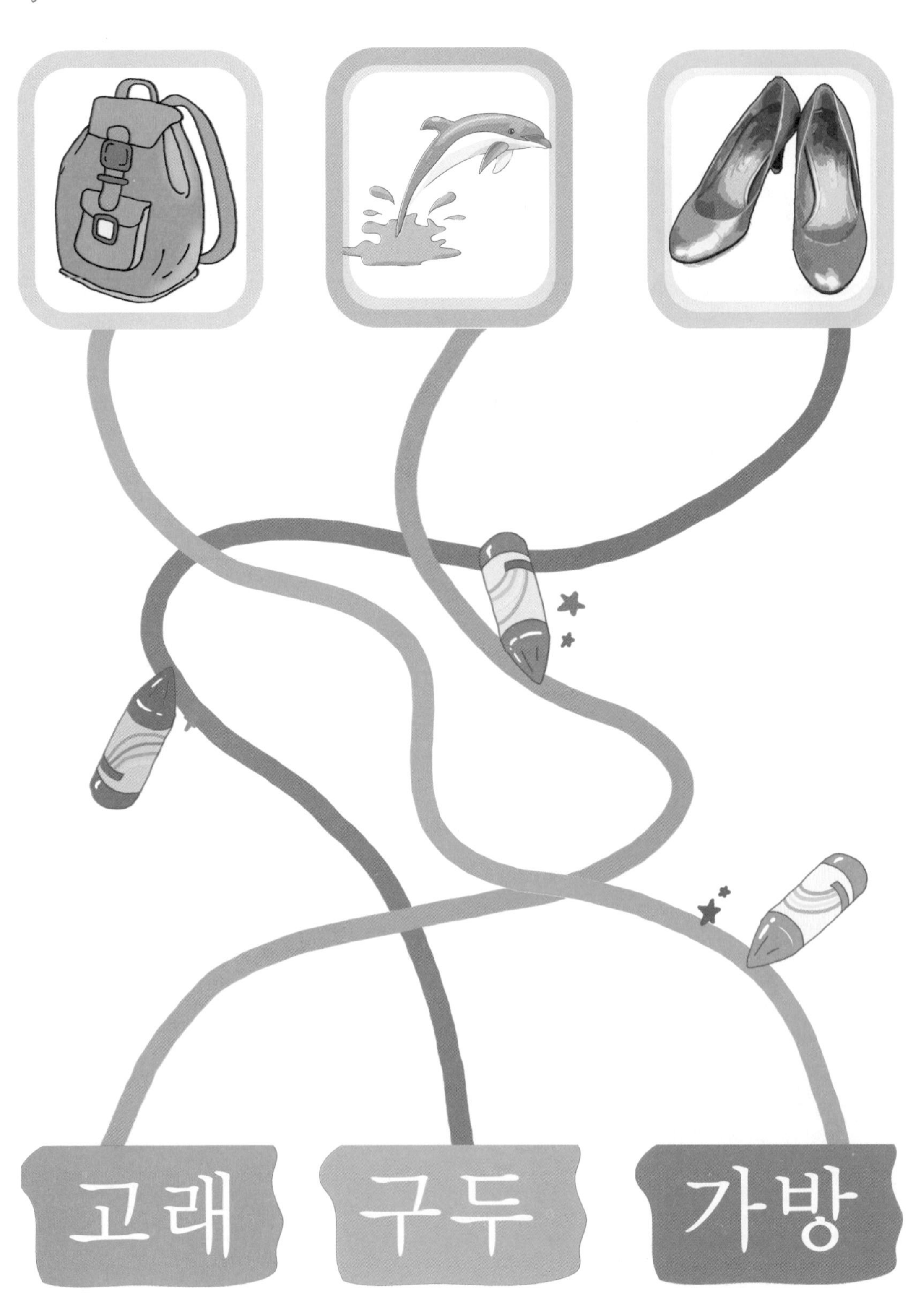

그림을 보고 예쁘게 따라 써 봅시다.

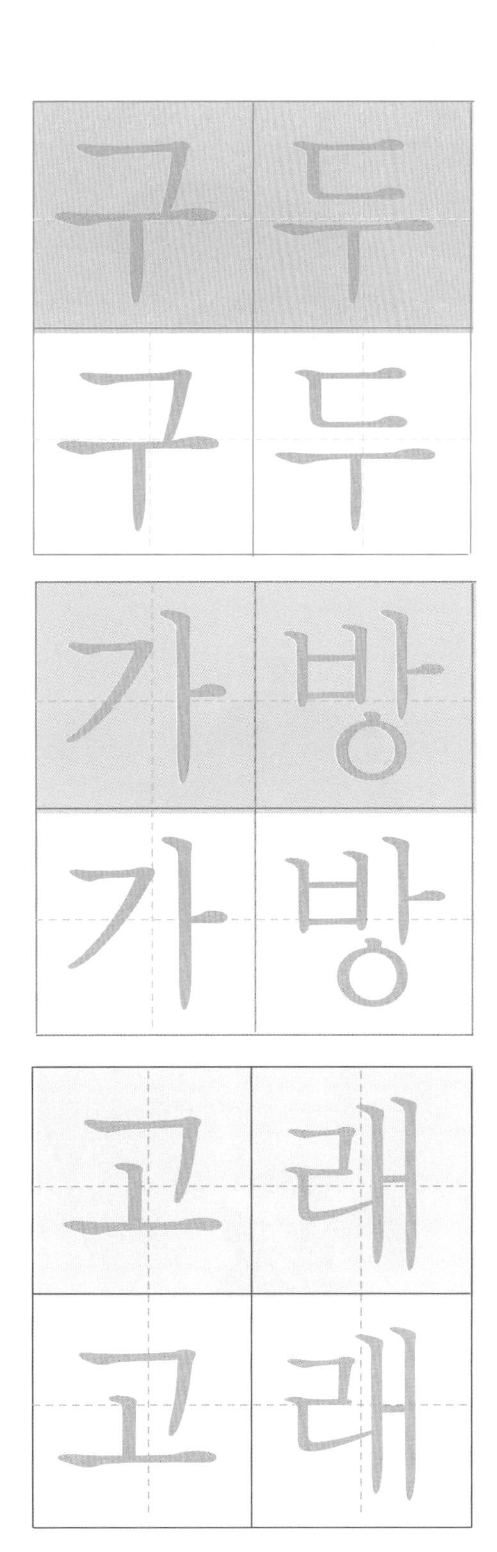

서로 알맞은 것끼리 선으로 연결하여 봅시다.

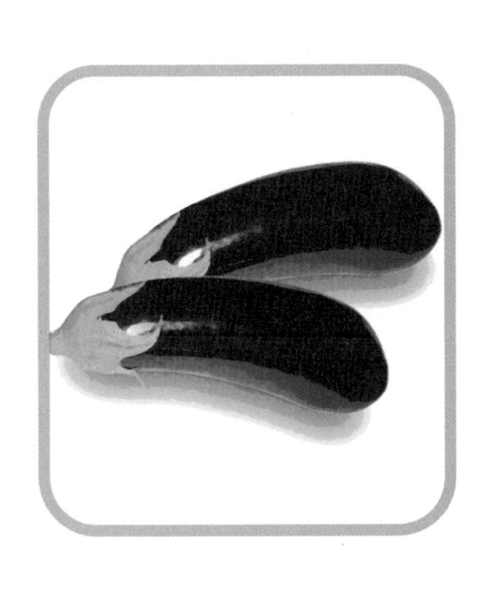

가지

그림을 보고 예쁘게 따라 써 봅시다.

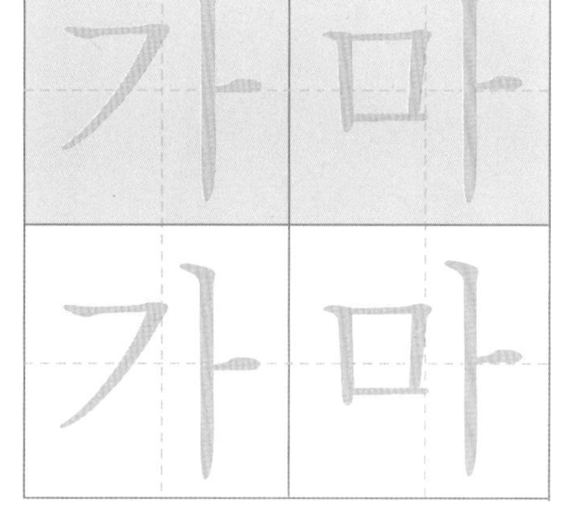

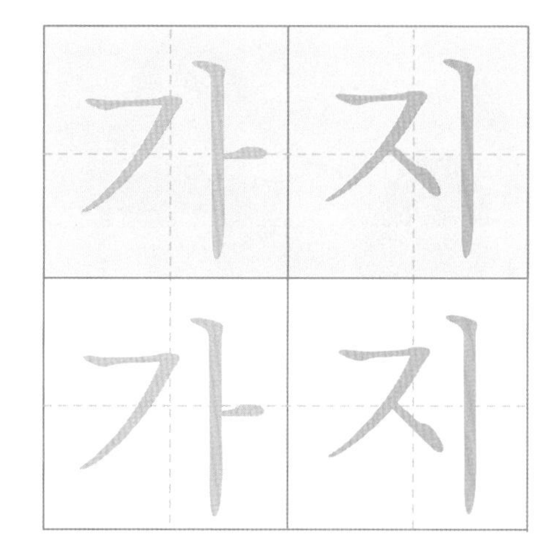

서로 알맞은 것끼리 선으로 연결하여 봅시다.

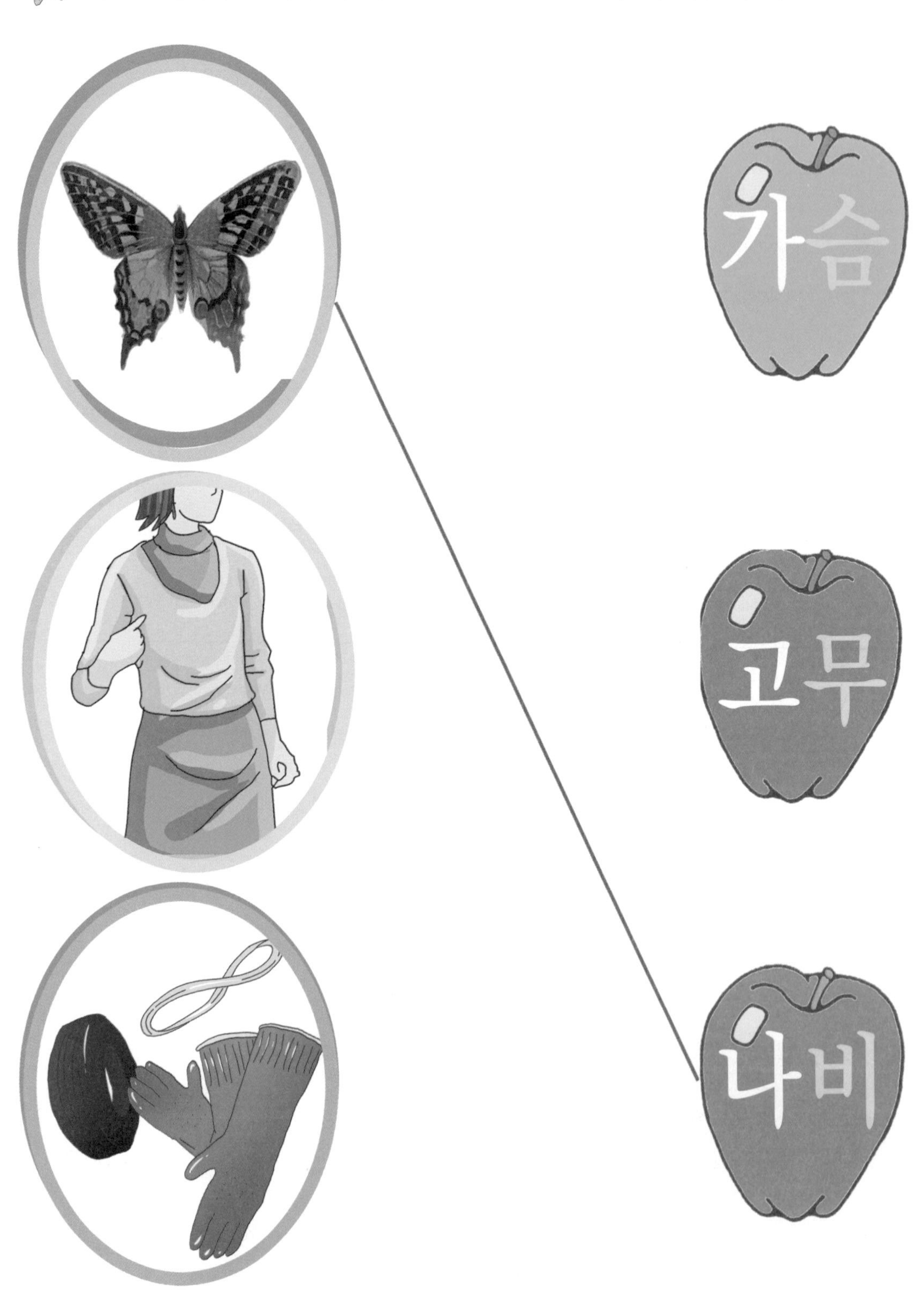

☆ 'ㄱ ㄴ ㄷ'이 들어간 낱말을 예쁘게 따라 써 봅시다.

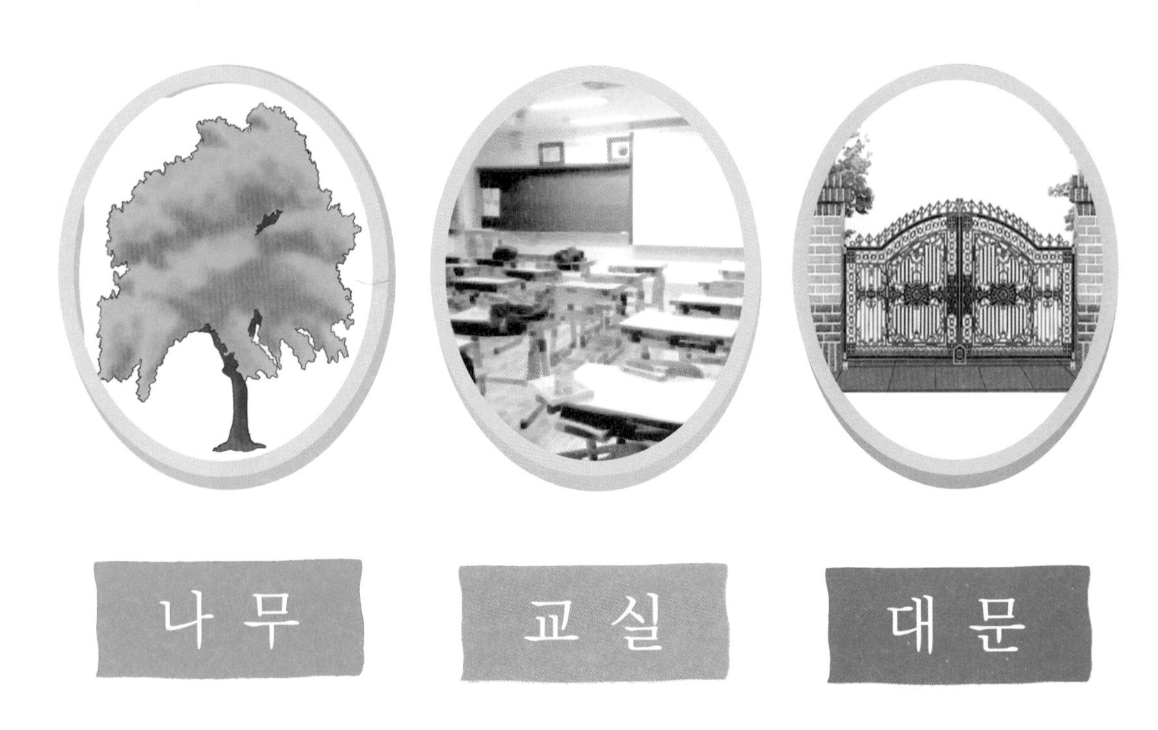

나무　　교실　　대문

나	무	교	실	대	문
나	무	교	실	대	문
나	무	교	실	대	문

그림을 보며 예쁘게 따라 써 봅시다.

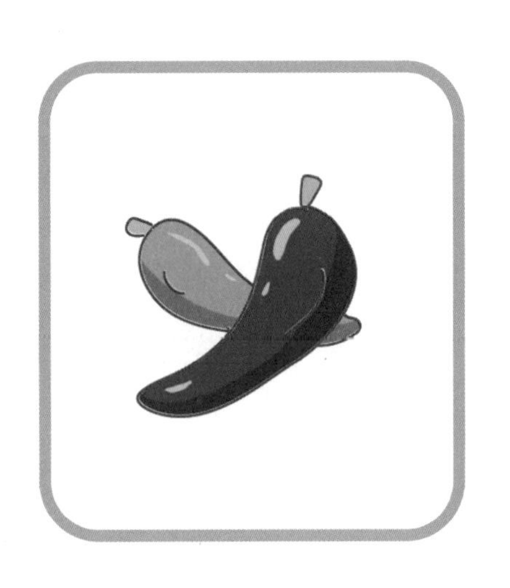

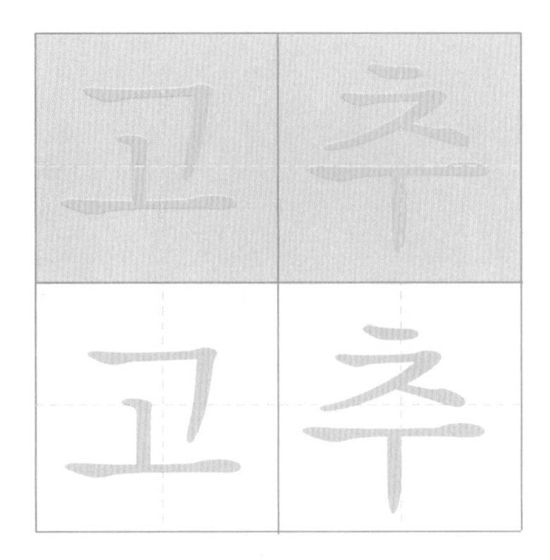

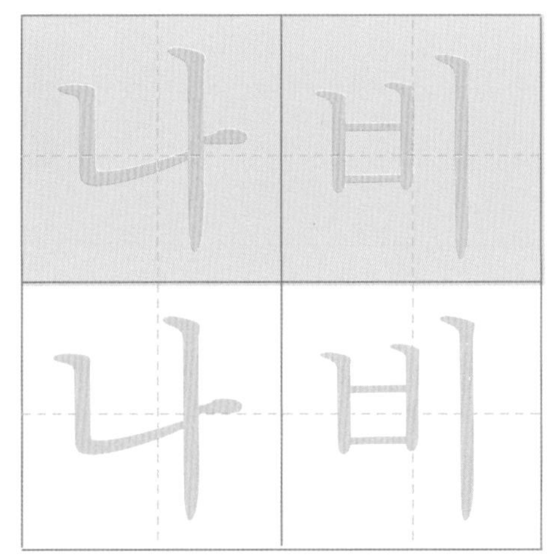

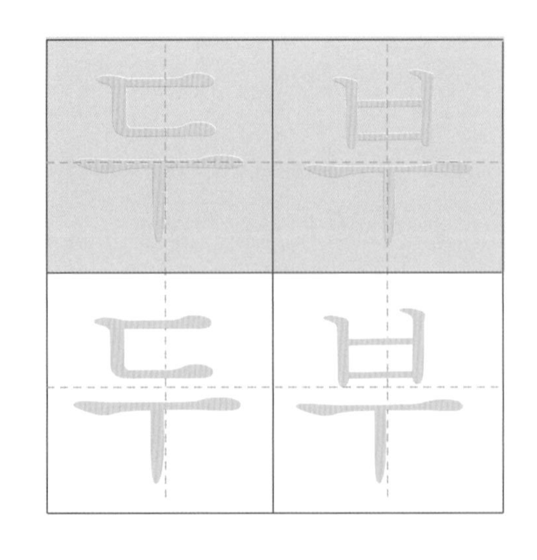

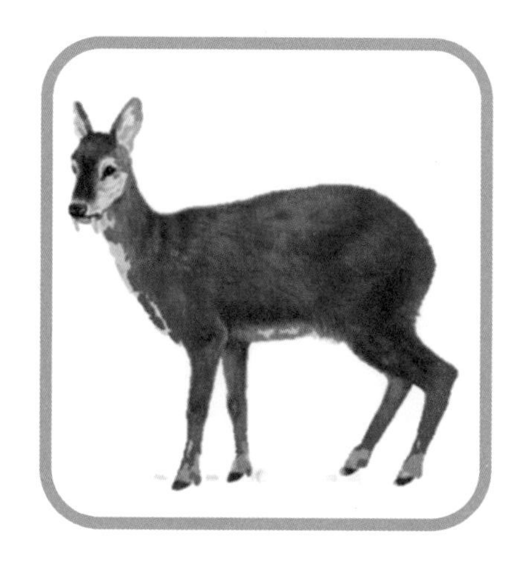

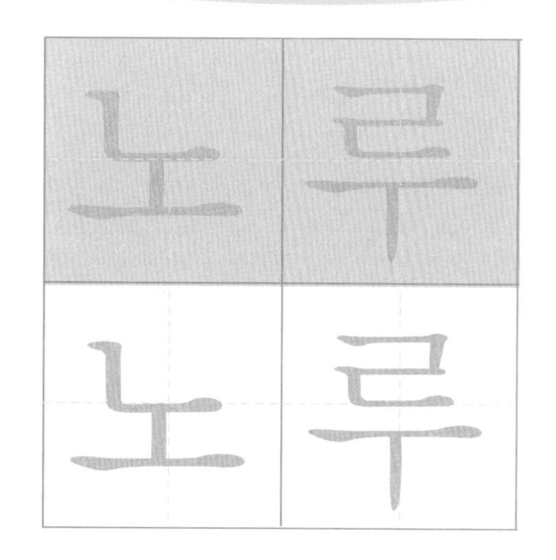
노루
노루

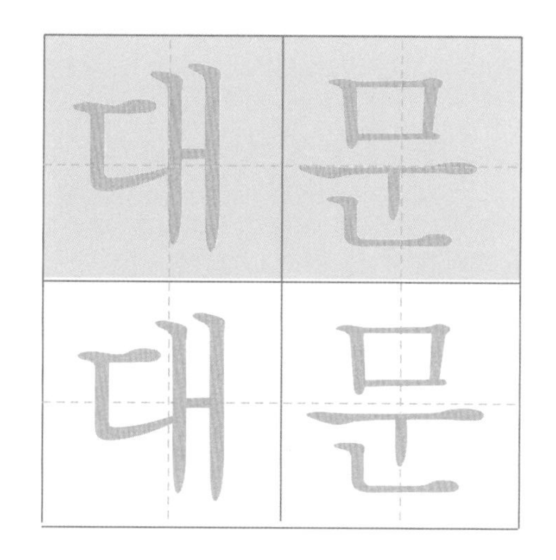
대문
대문

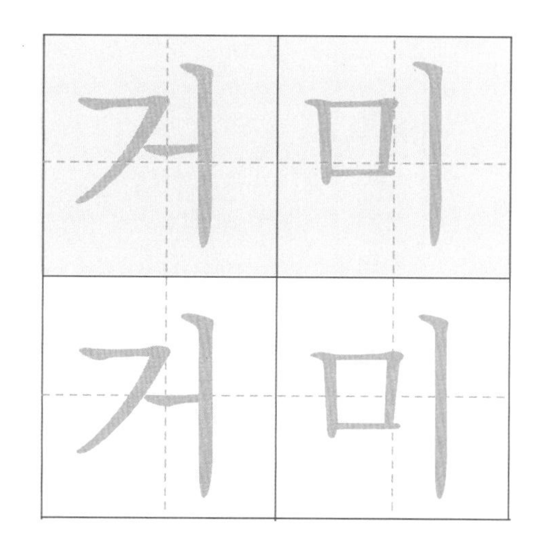
거미
거미

색연필로 빈칸에 ㄴ을 예쁘게 써 봅시다.

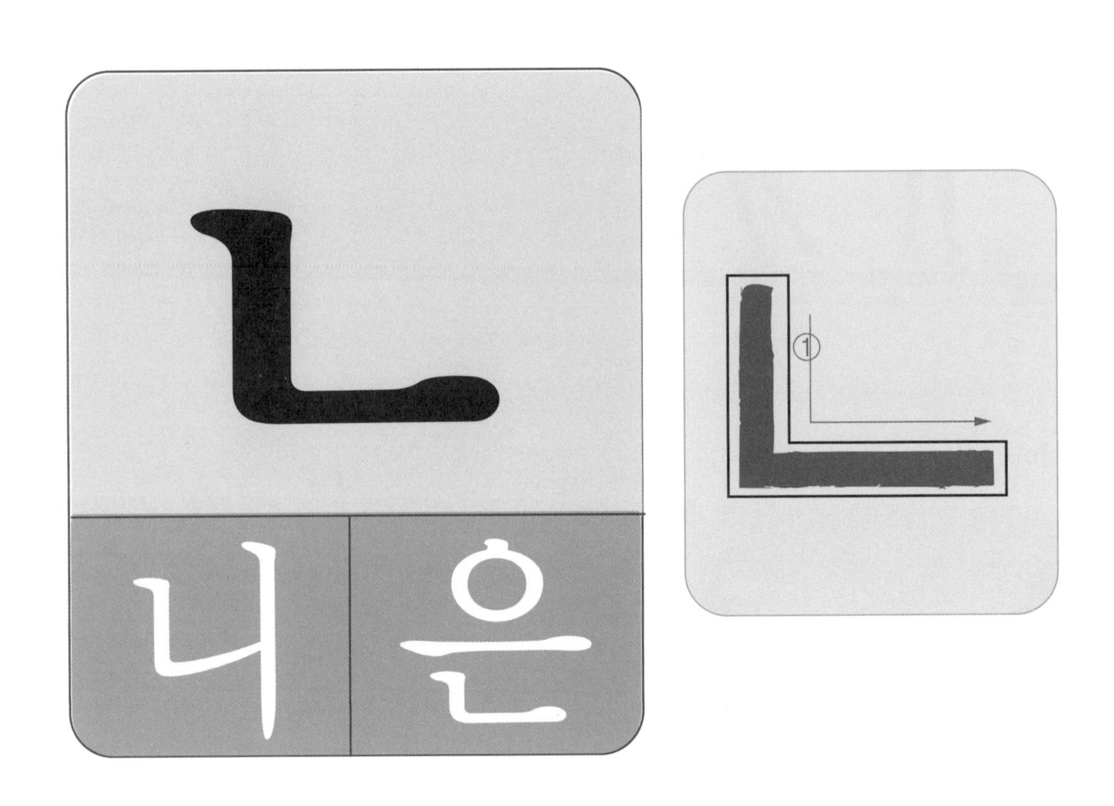

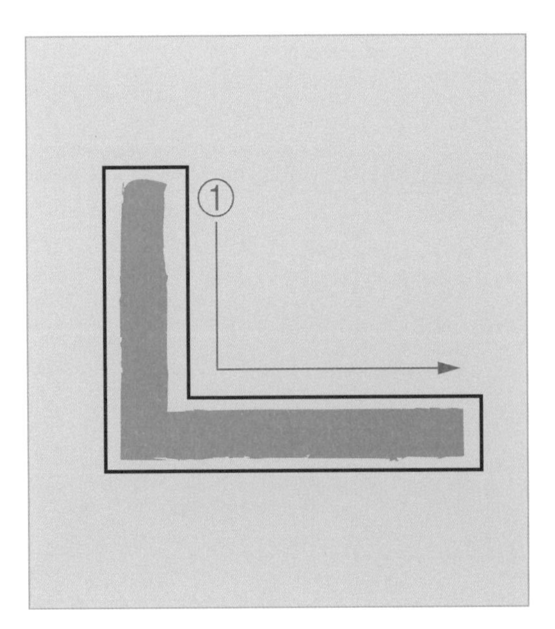

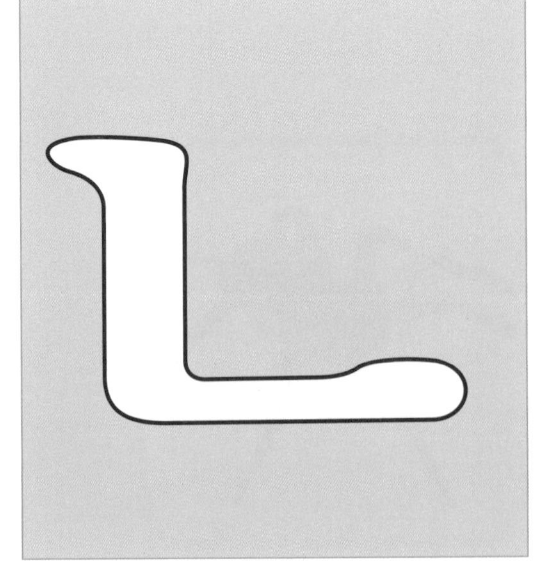

색연필로 빈칸에 ㄴ을 예쁘게 써 봅시다.

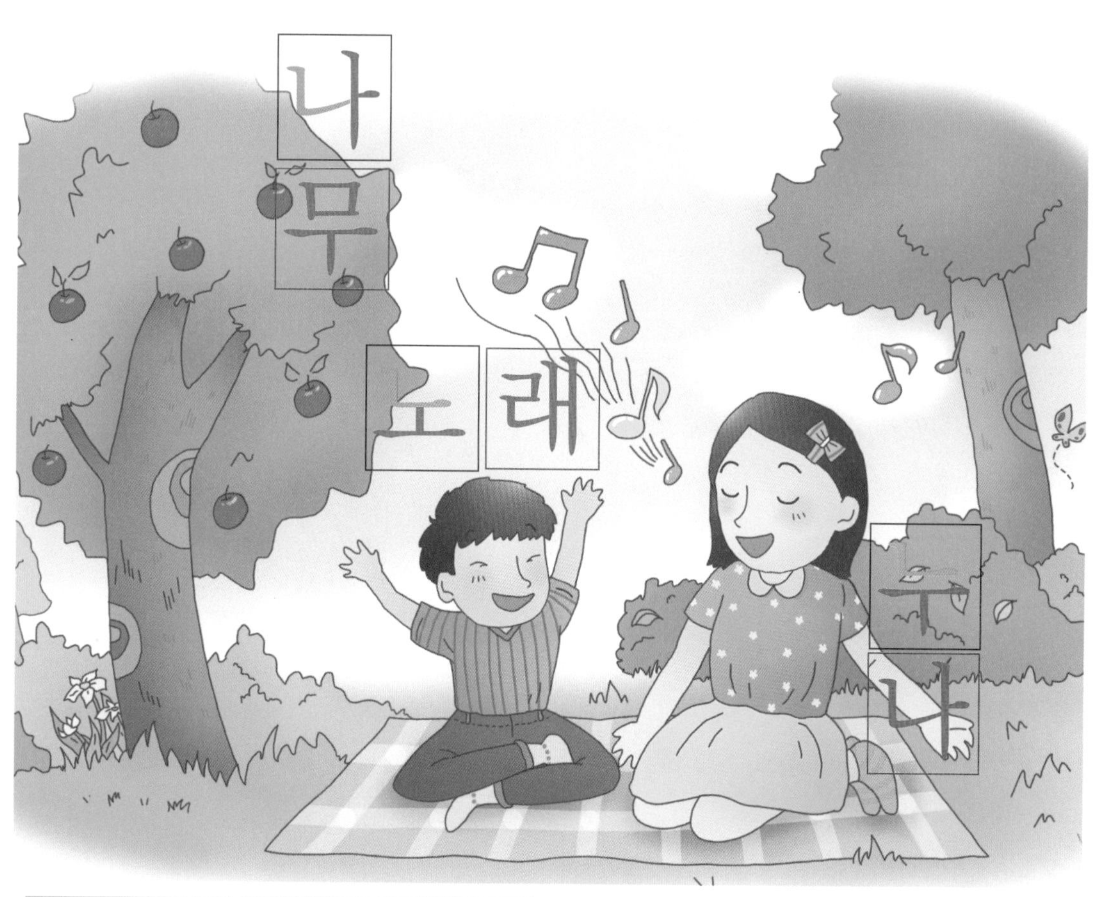

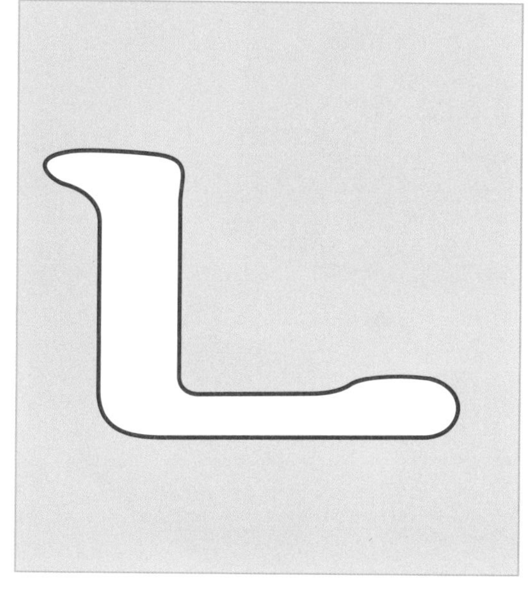

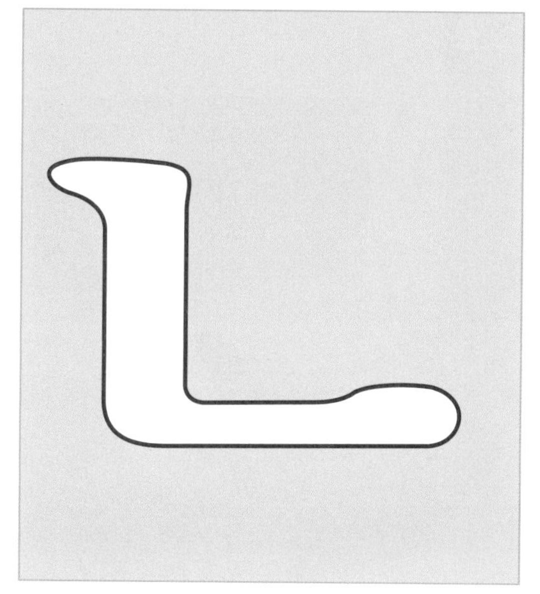

☆화살표를 따라가며 ㄱ~ㄹ까지의 자음 순서를 알아 봅시다.

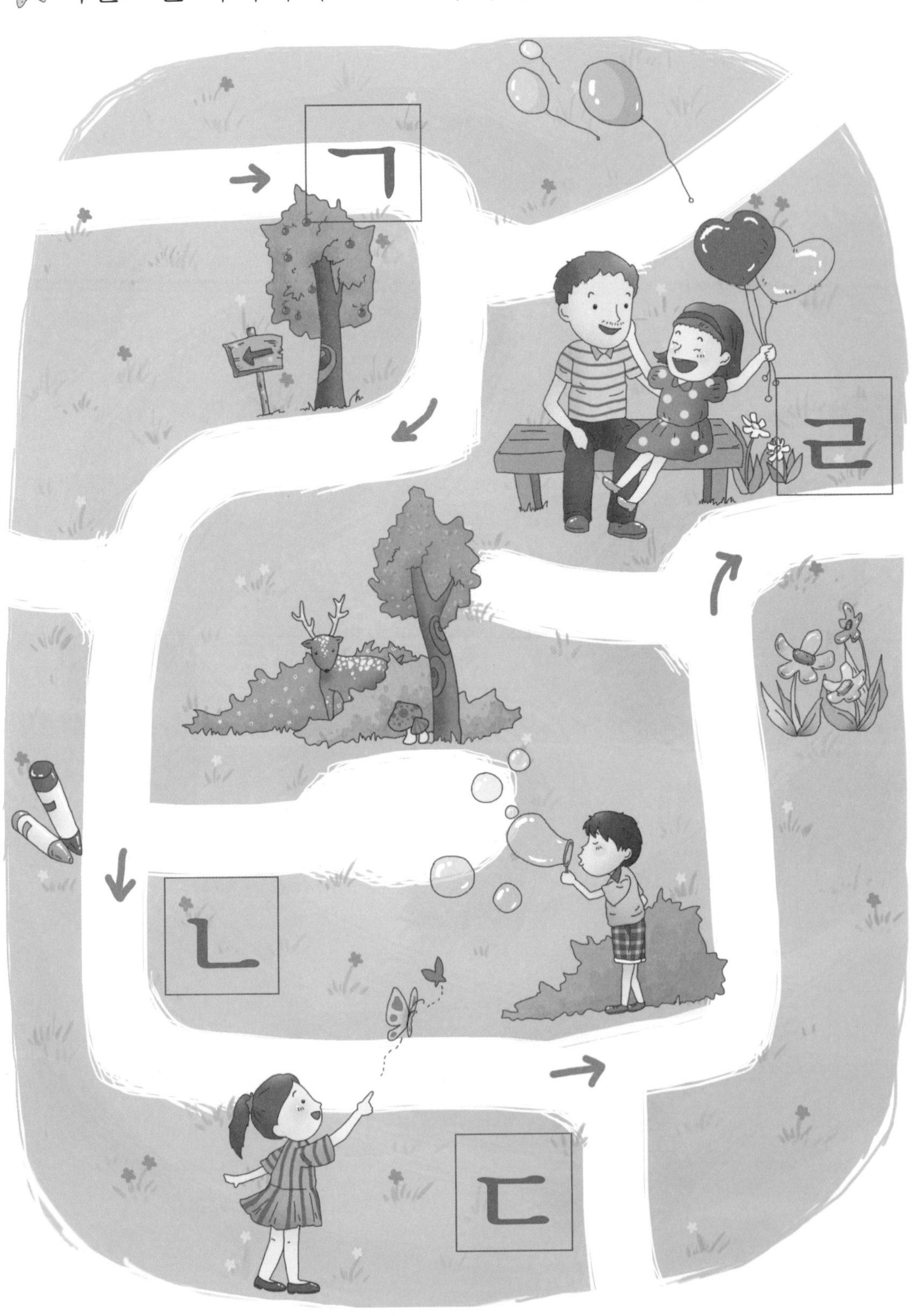

자음 'ㄴ ㄷ ㄹ'을 따라 써 봅시다.

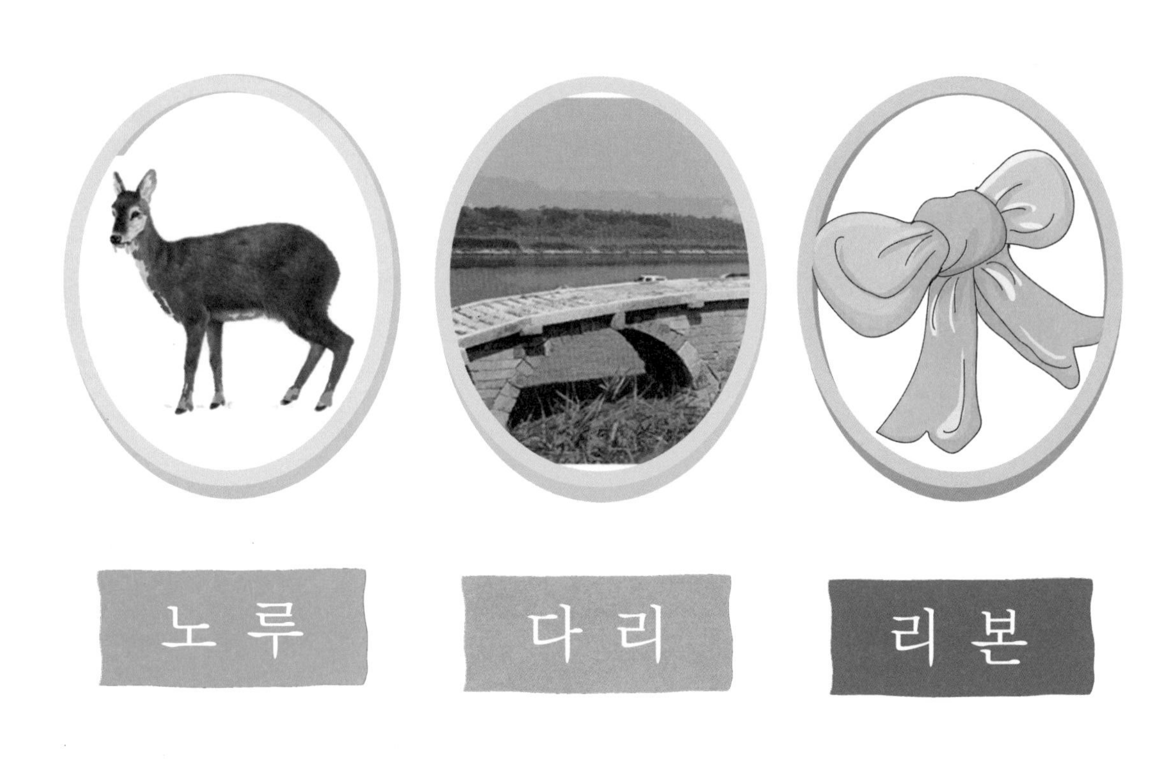

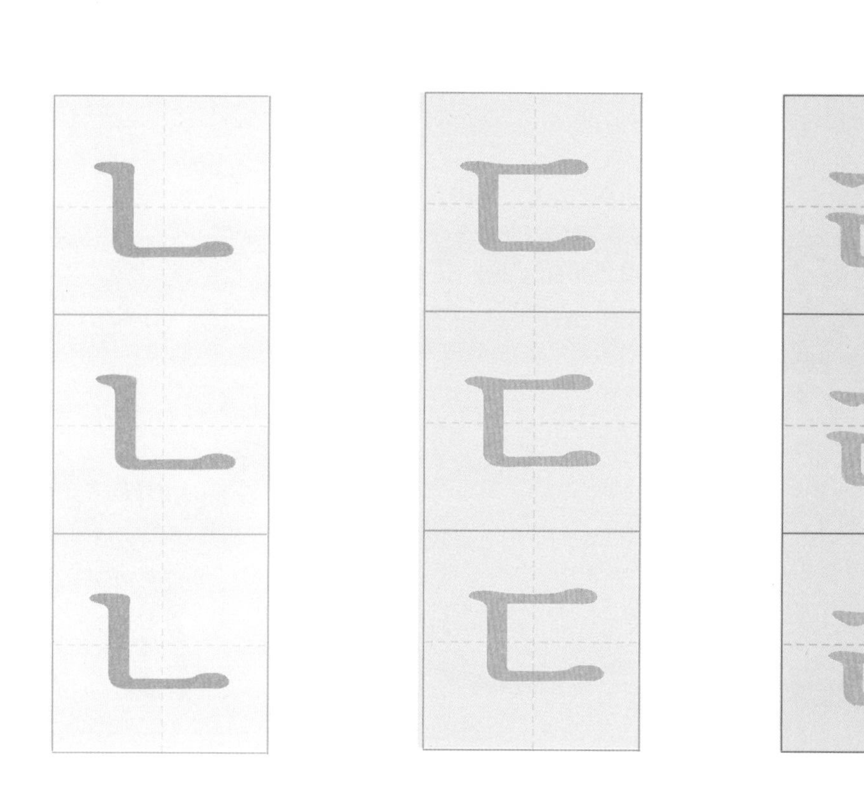

'ㄴ ㄷ ㄹ'이 들어간 글자를 선으로 연결하여 봅시다.

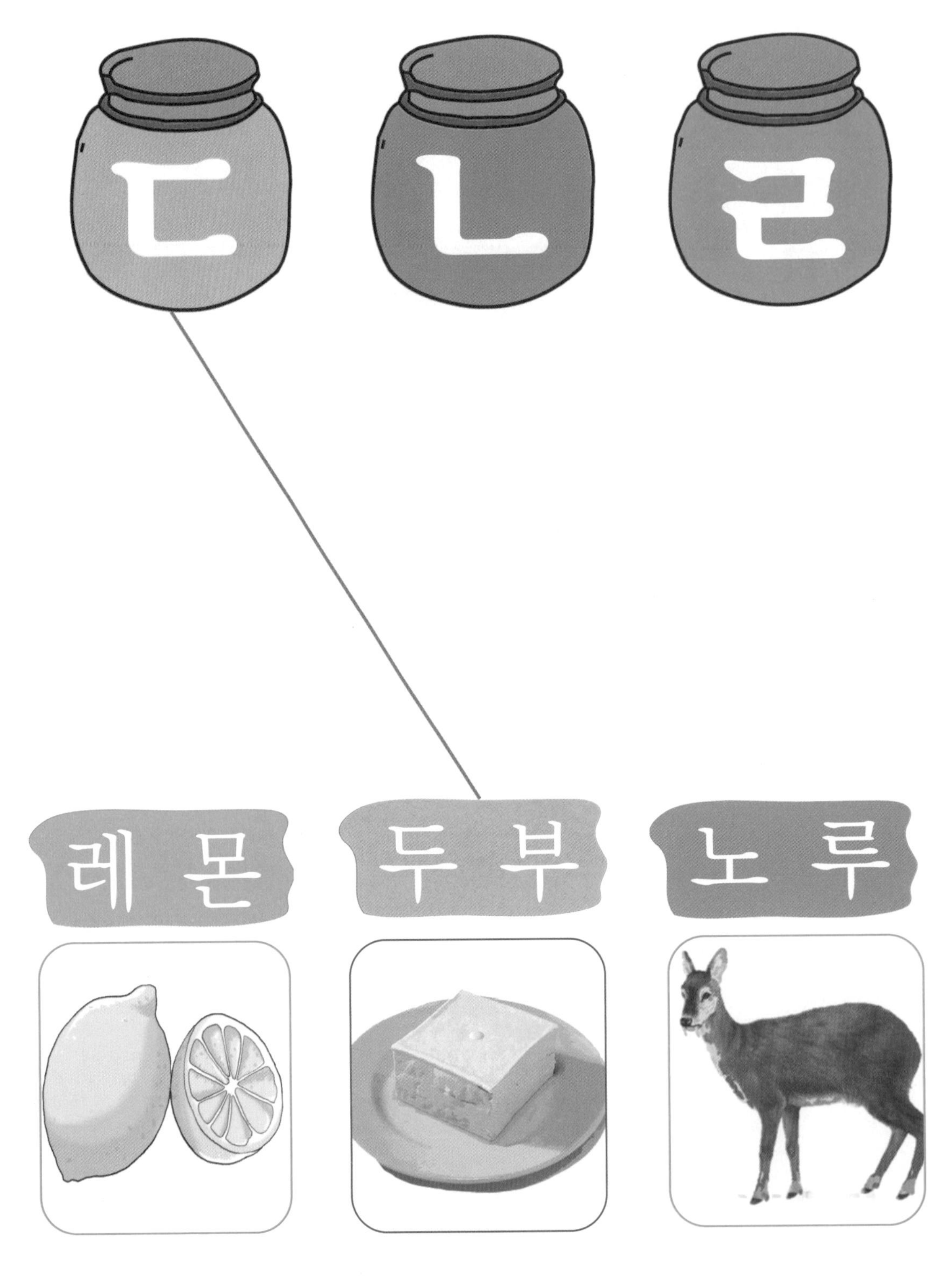

'ㄴ ㄷ ㄹ'이 들어간 낱말을 예쁘게 따라 써 봅시다.

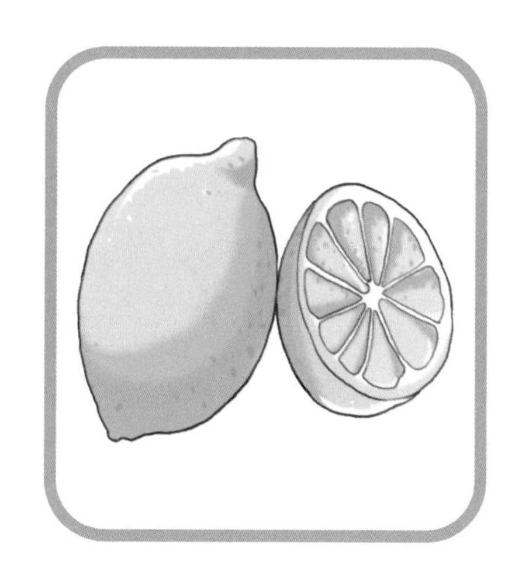

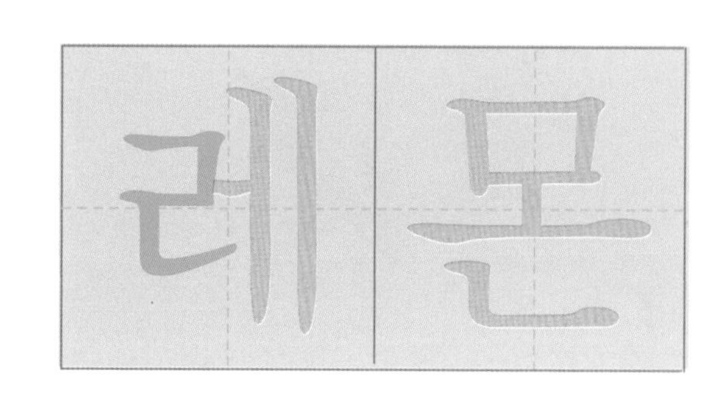

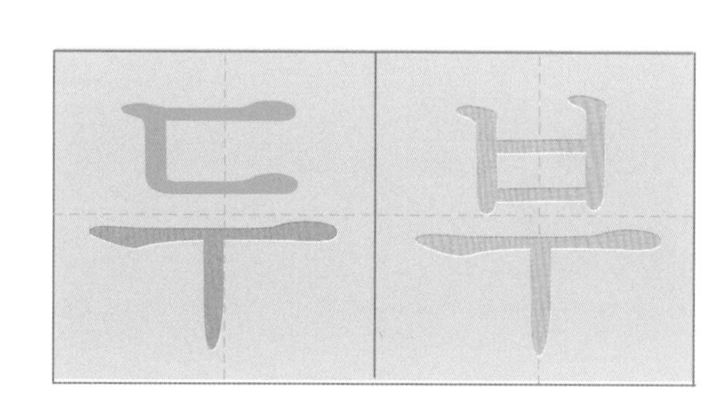

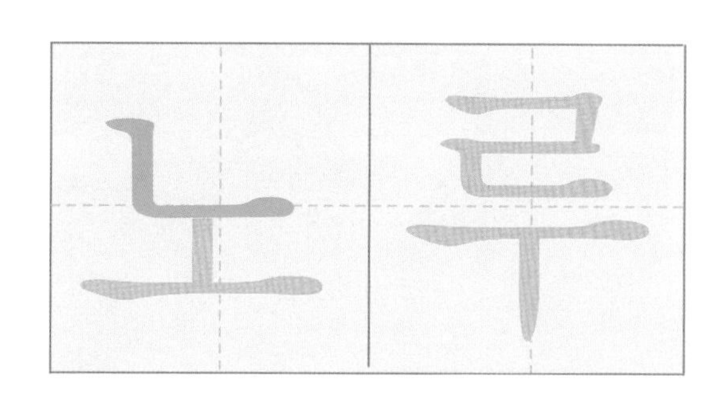

자음 'ㄱ, ㄴ, ㄷ'을 모두 찾아 봅시다.

그림을 보고 예쁘게 따라 써 봅시다.

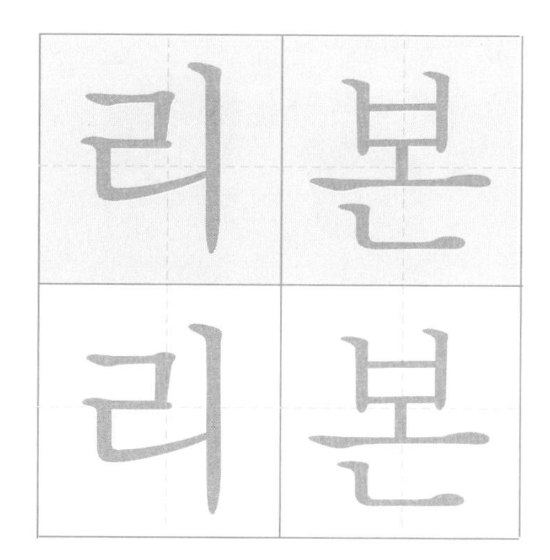

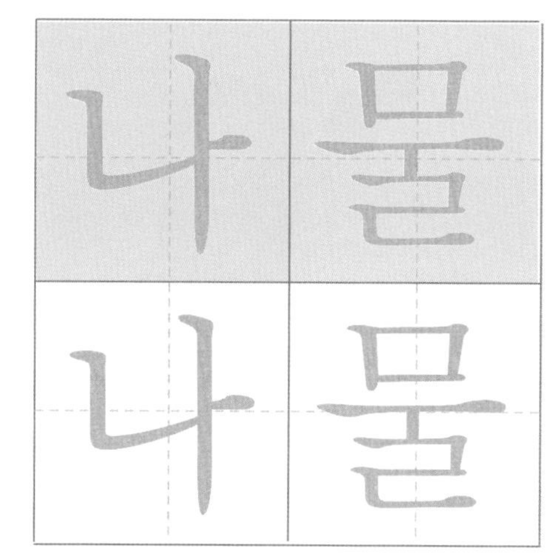

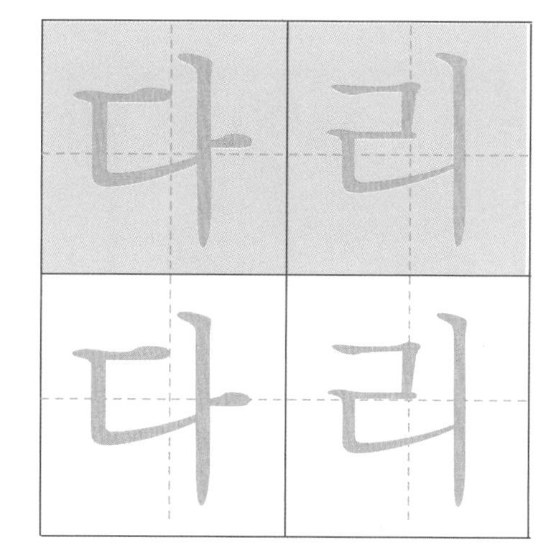

서로 알맞은 것끼리 선으로 연결하여 봅시다.

☆ 그림을 보고 예쁘게 따라 써 봅시다.

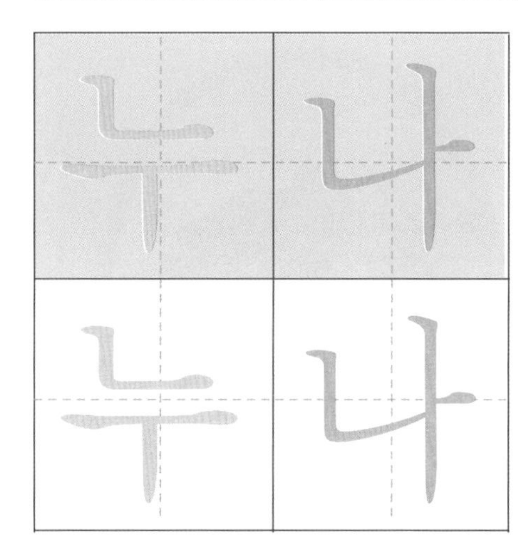

서로 알맞은 것끼리 선으로 연결하여 봅시다.

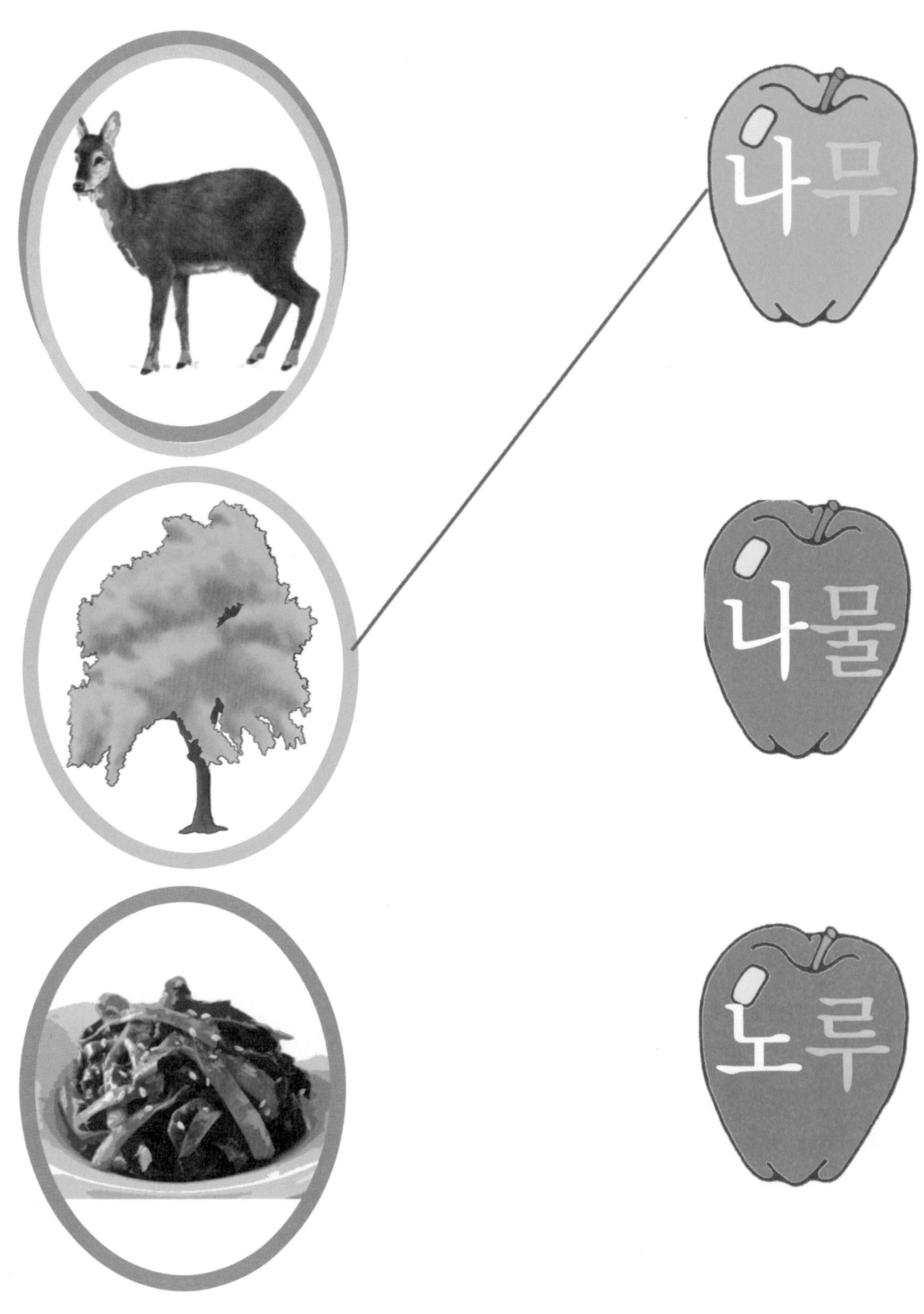

그림을 보며 예쁘게 따라 써 봅시다.

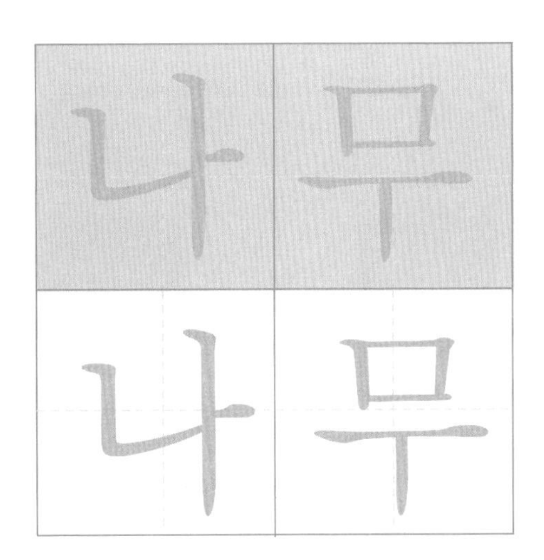

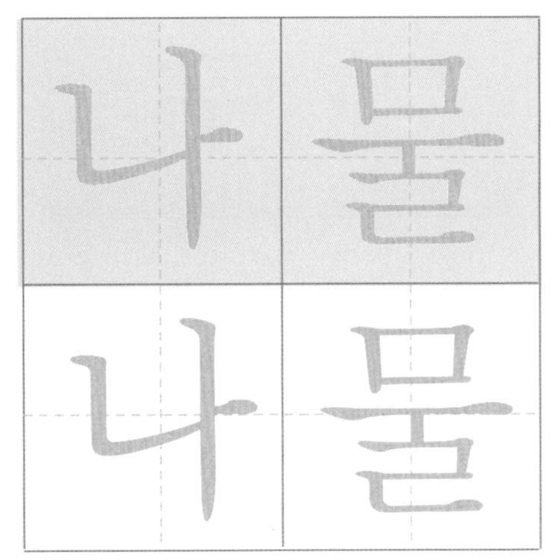

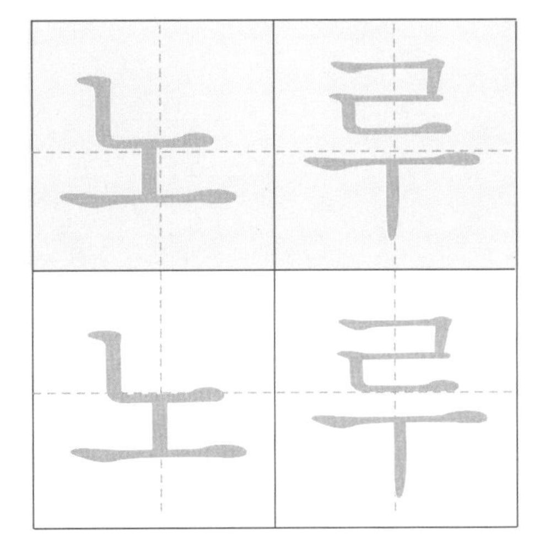

☆ 'ㄴ'이 들어간 낱말에 ○표를 해 봅시다.

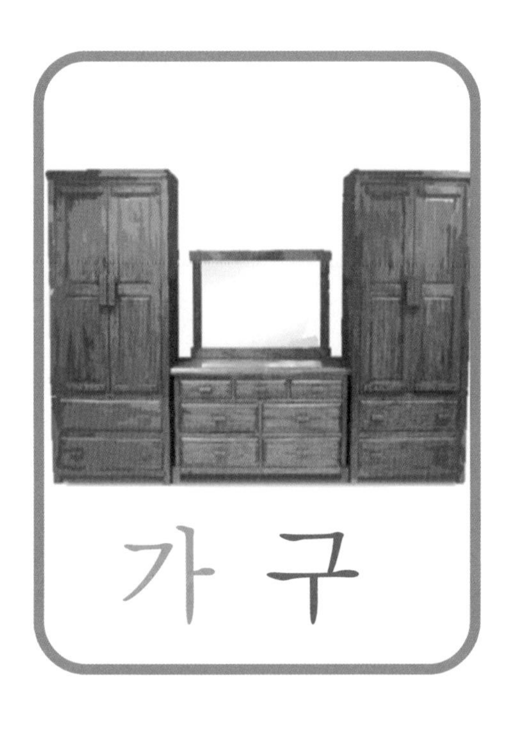

 'ㄴ ㄷ' 이 들어간 낱말에 ㅇ표를 해 봅시다.

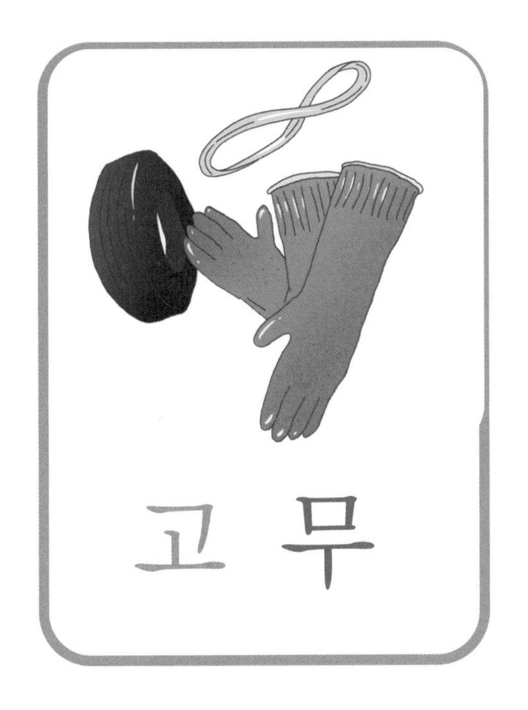

고 무

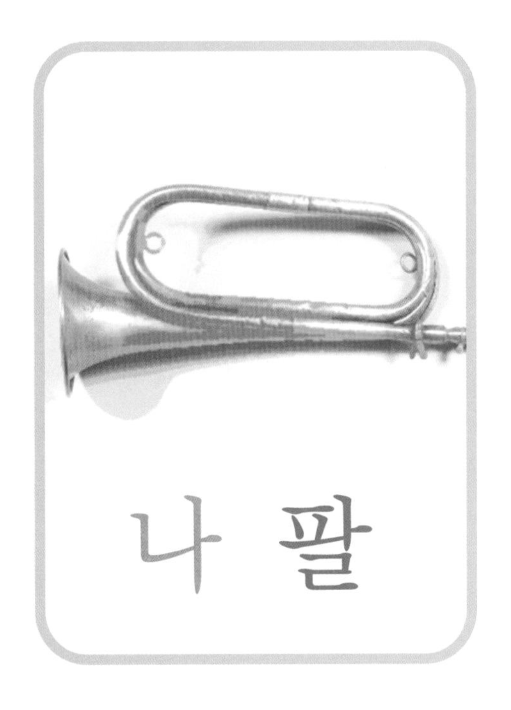

나 팔

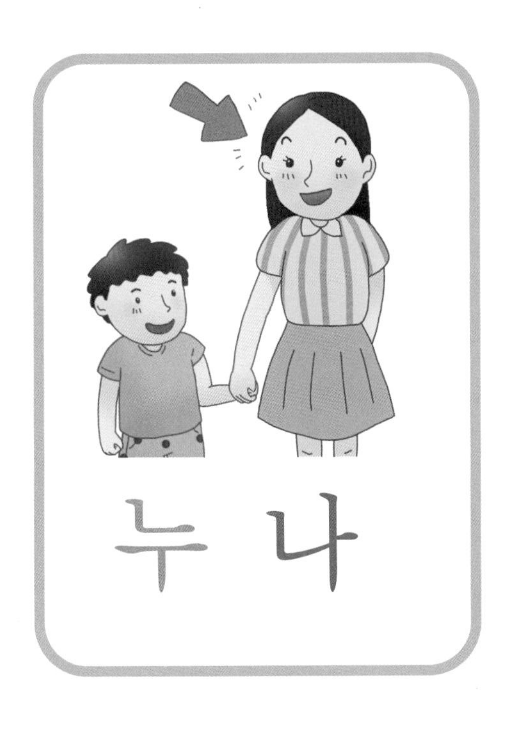

누 나

대 문

색연필로 빈칸에 ㄷ을 예쁘게 써 봅시다.

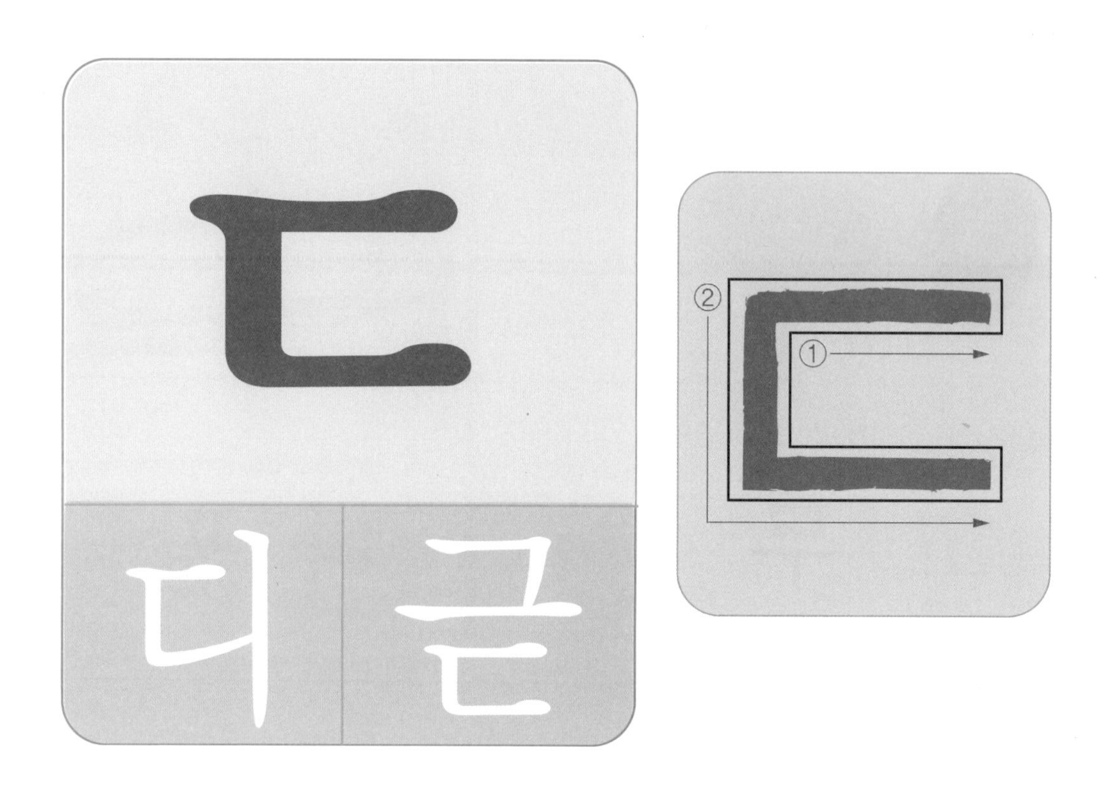

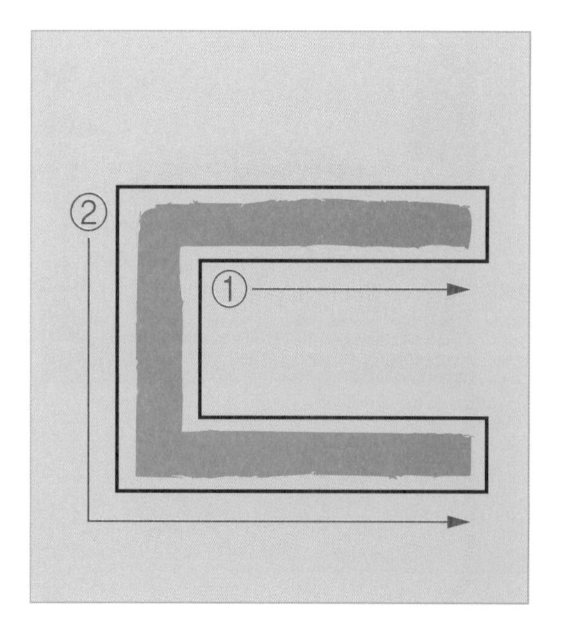

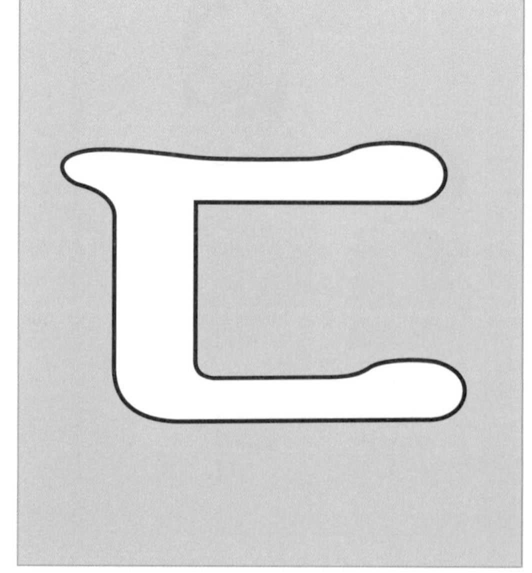

☆ 색연필로 빈칸에 ㄷ을 예쁘게 써 봅시다.

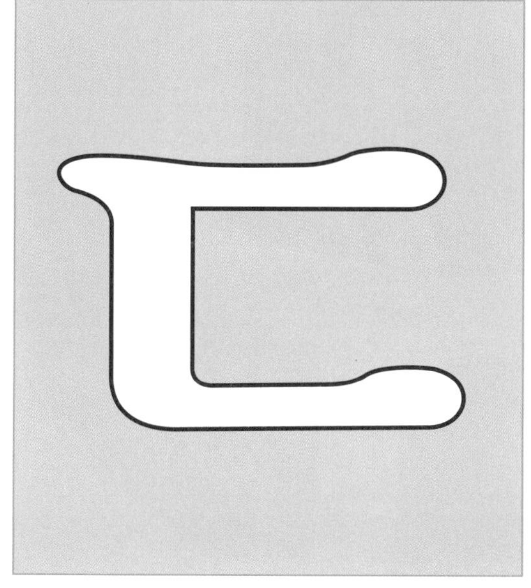

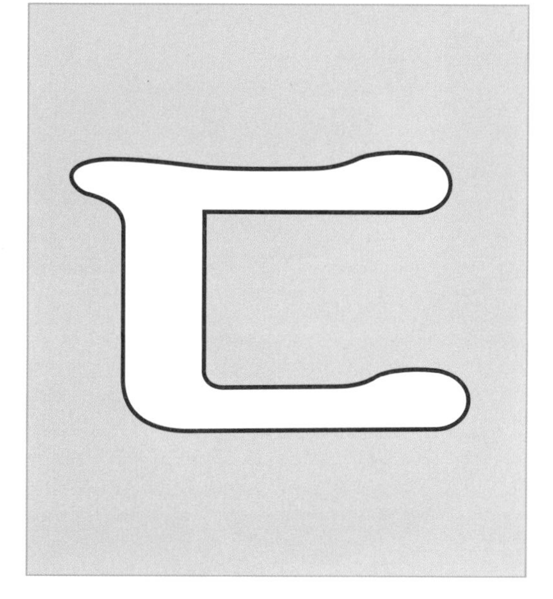

화살표를 따라가며 ㄴ~ㅁ까지의 자음 순서를 알아 봅시다.

자음 'ㄴ ㄷ ㄹ'을 따라 써 봅시다.

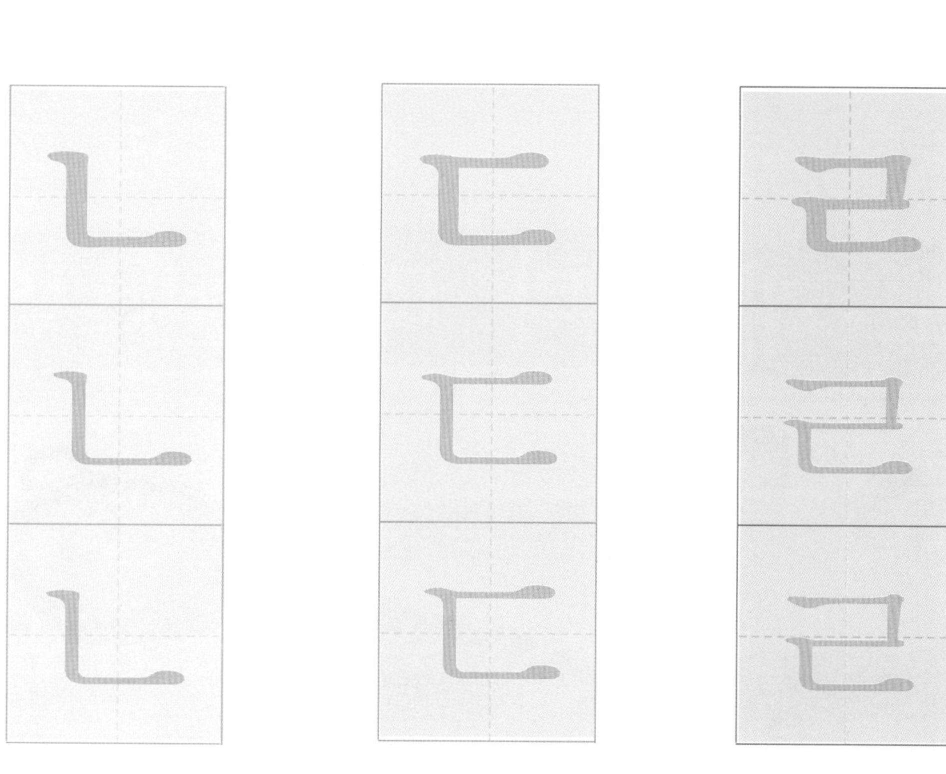

'ㄴ ㄷ ㄹ'이 들어간 글자를 선으로 연결하여봅시다.

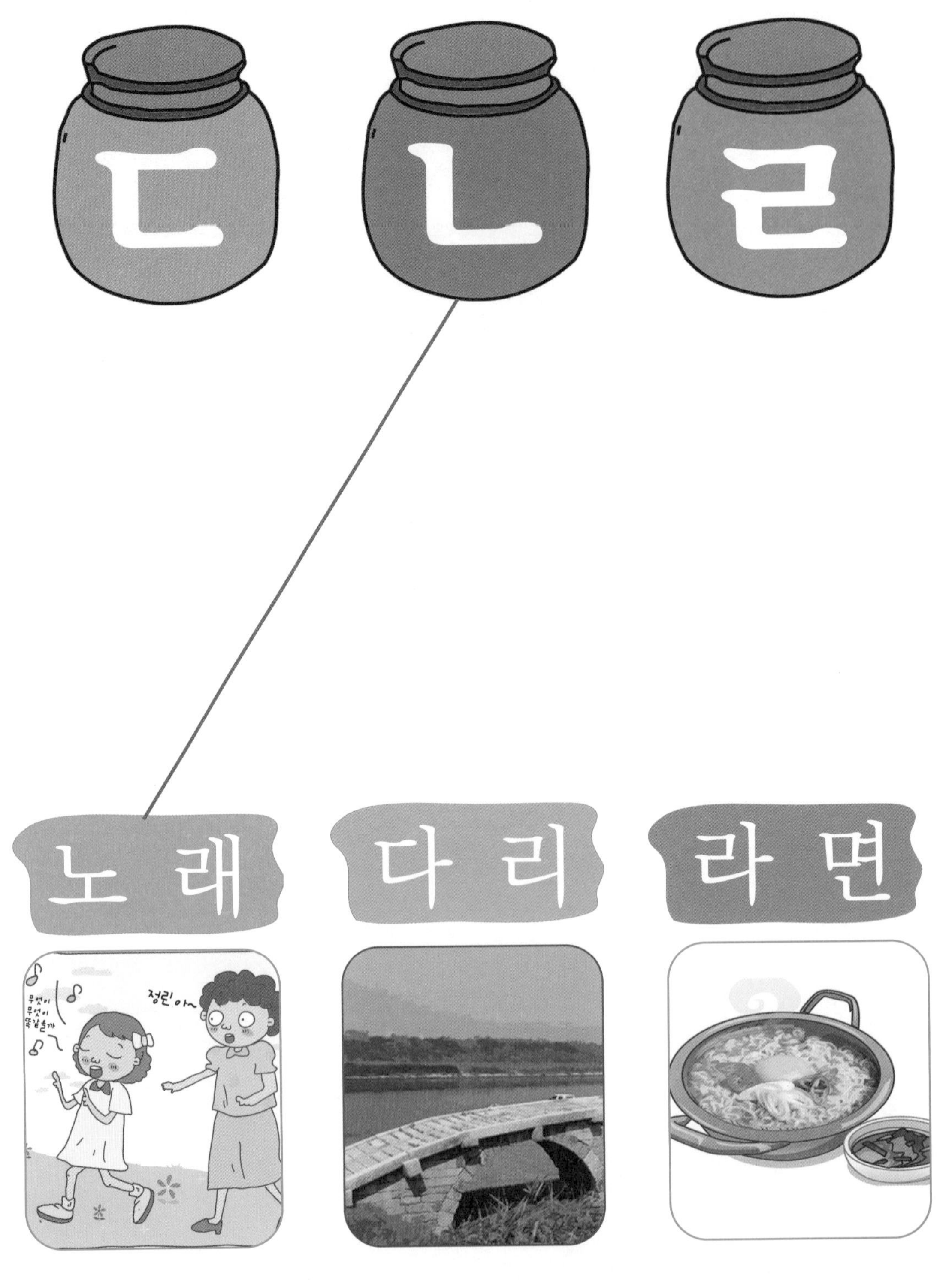

'ㄴ ㄷ ㄹ'이 들어간 낱말을 예쁘게 따라 써 봅시다.

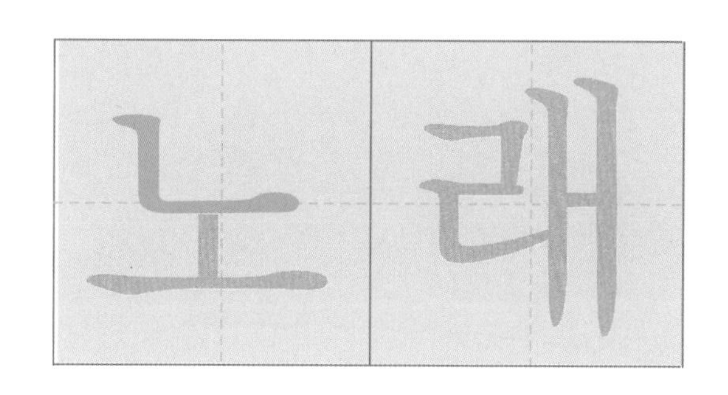

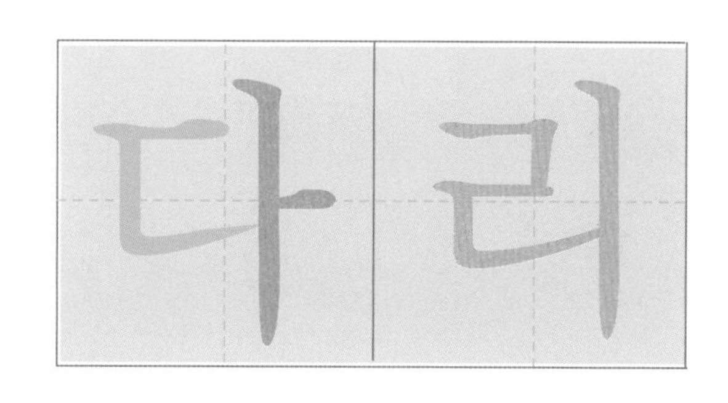

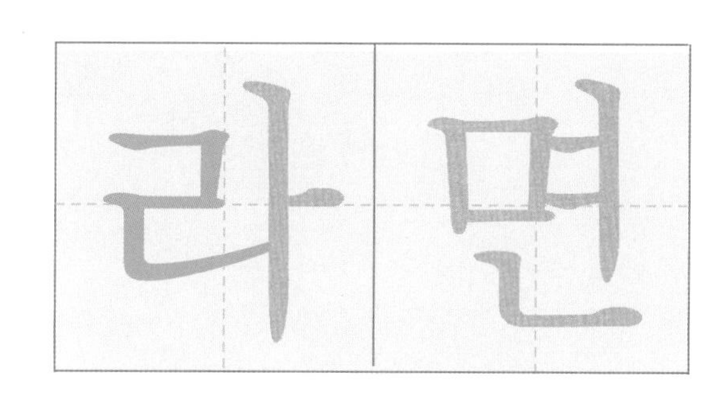

자음 'ㄴ, ㄷ, ㄹ'을 모두 찾아 봅시다.

그림을 보고 예쁘게 따라 써 봅시다.

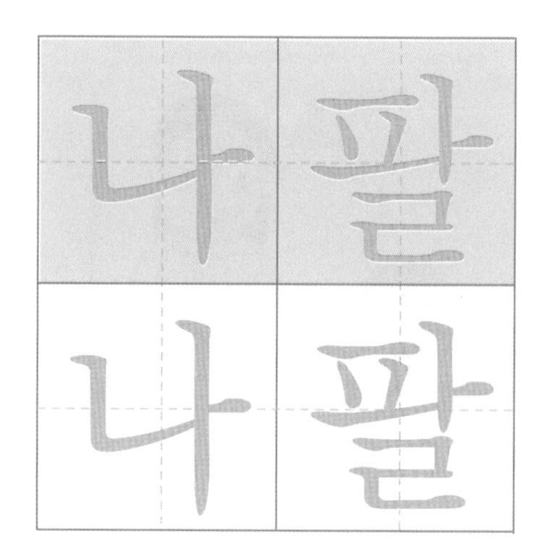

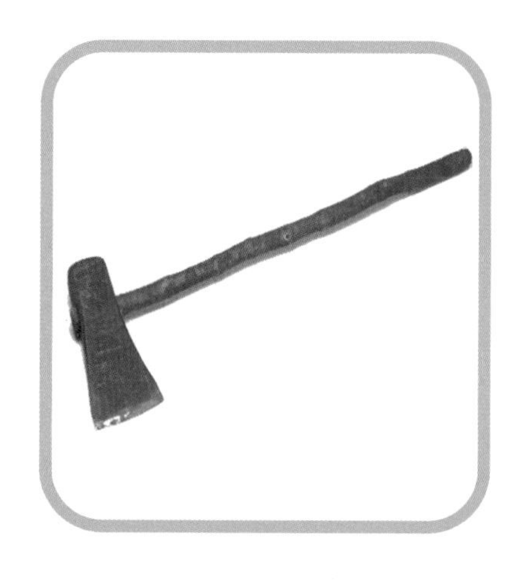

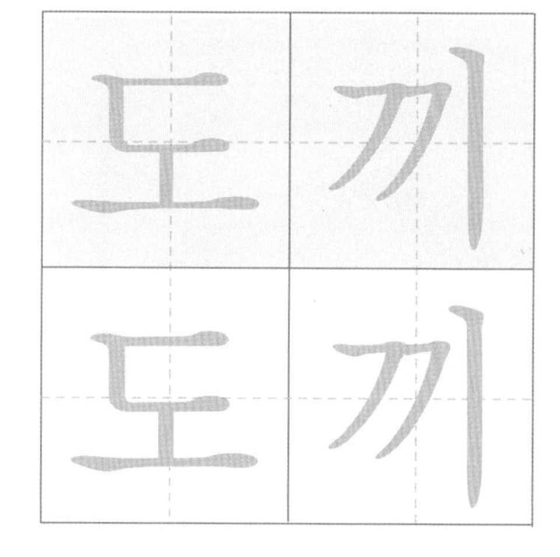

서로 알맞은 것끼리 선으로 연결하여 봅시다.

그림을 보고 예쁘게 따라 써 봅시다.

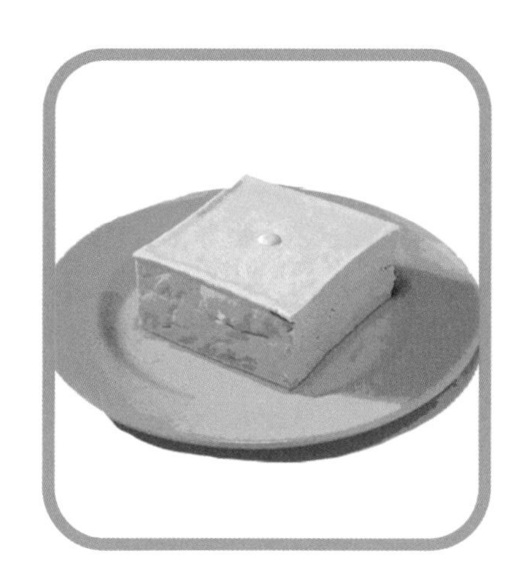

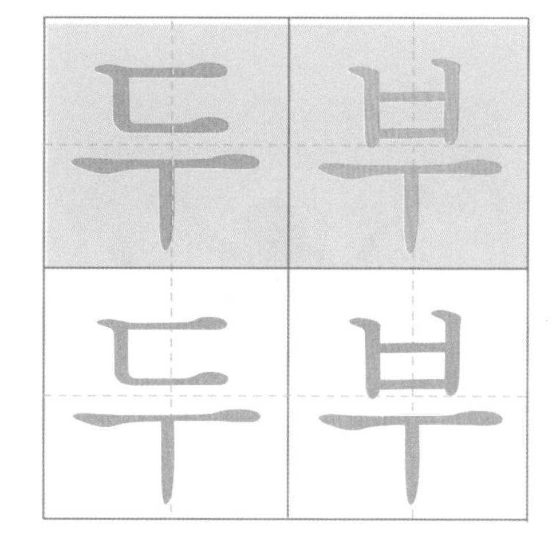

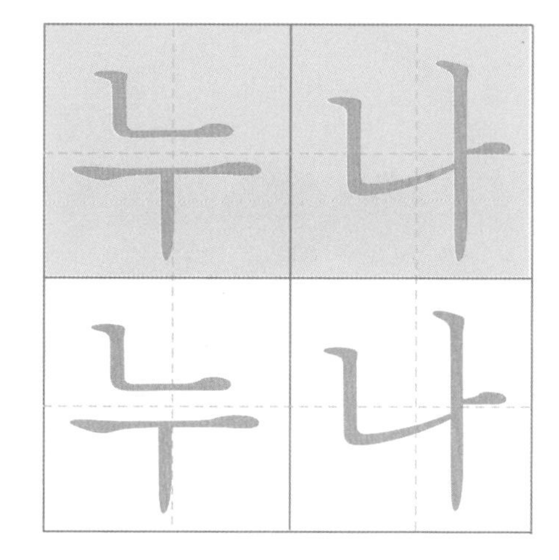

서로 알맞은 것끼리 선으로 연결하여 봅시다.

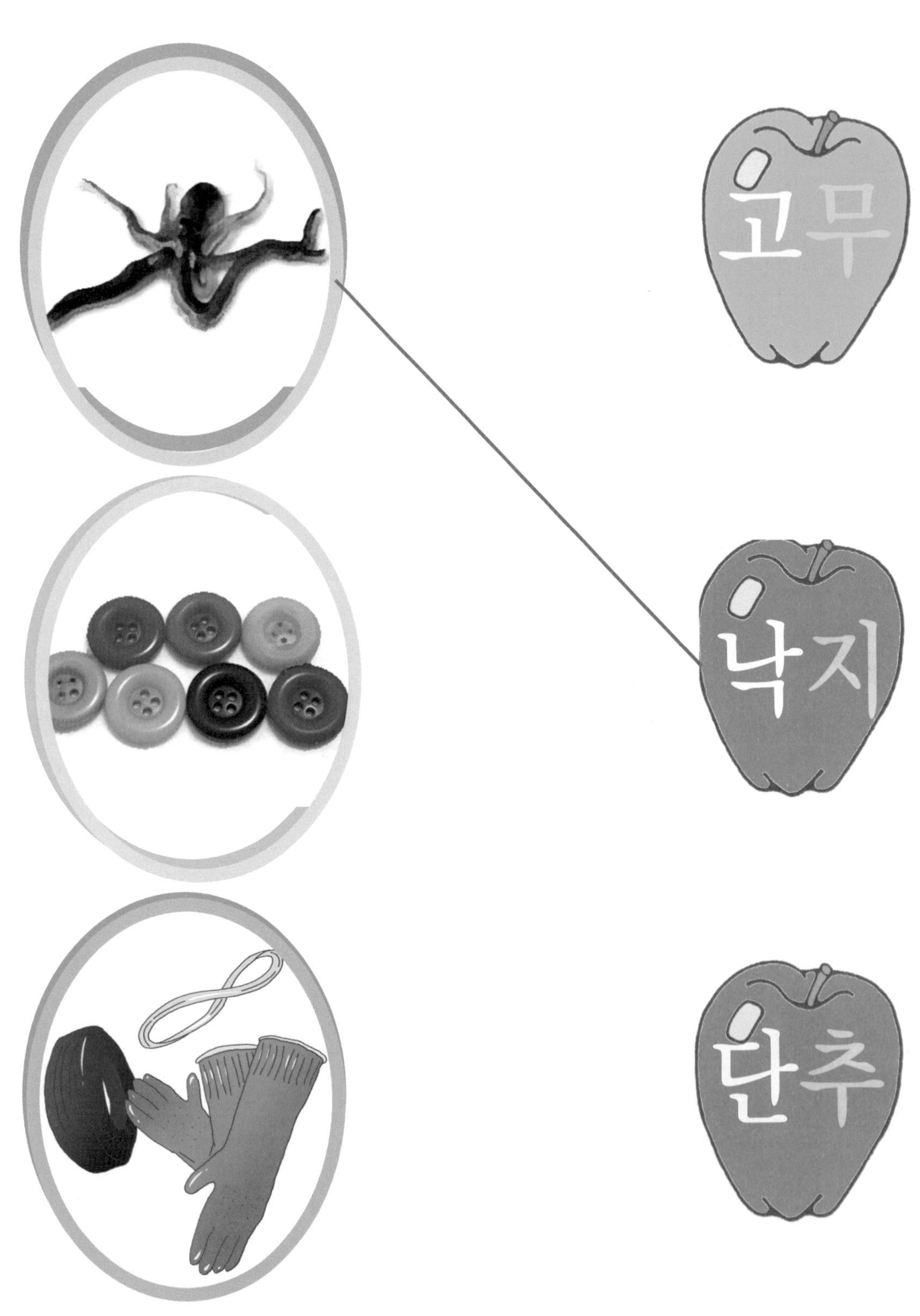

그림을 보며 예쁘게 따라 써 봅시다.

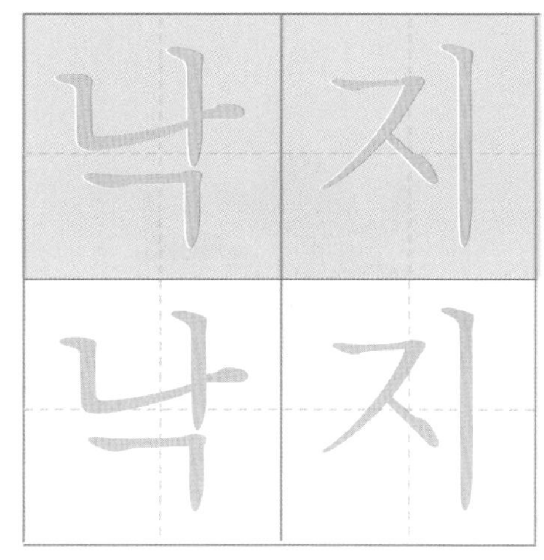

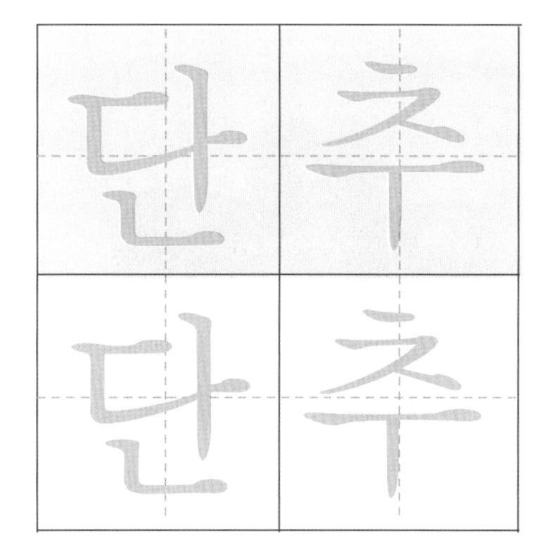

그림을 보며 예쁘게 따라 써 봅시다.

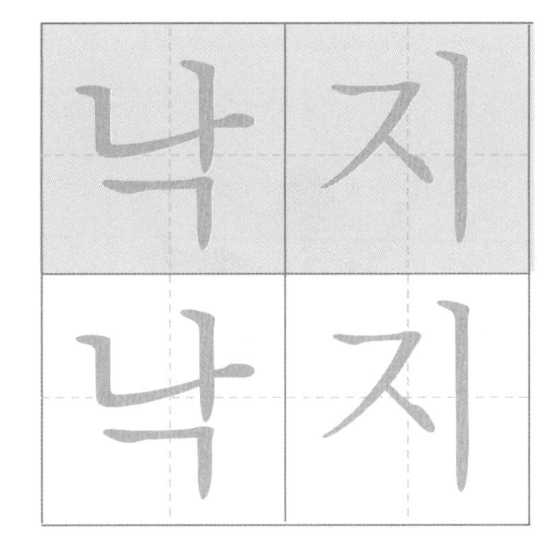

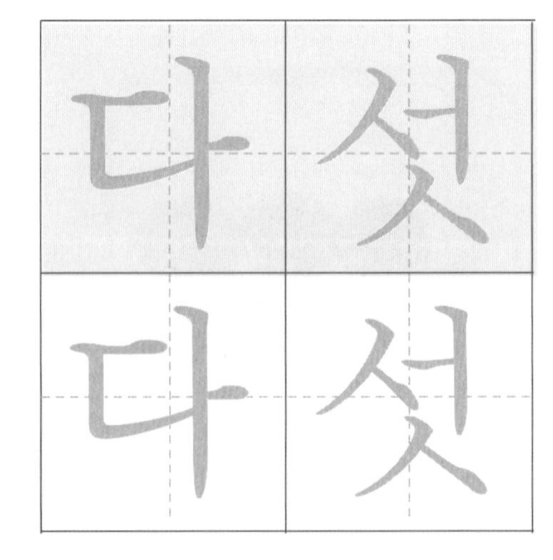

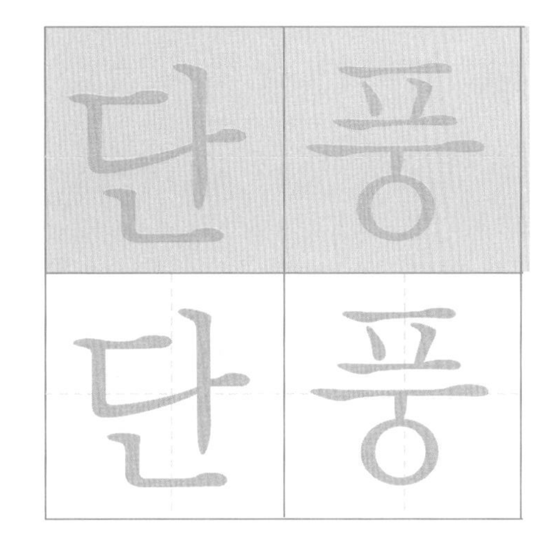
단 풍
단 풍

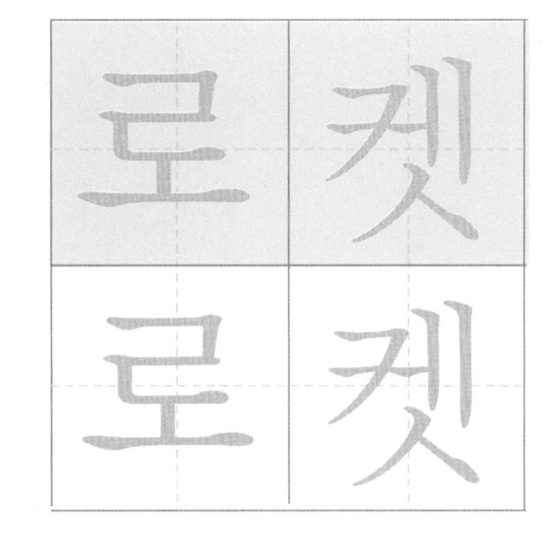
로 켓
로 켓

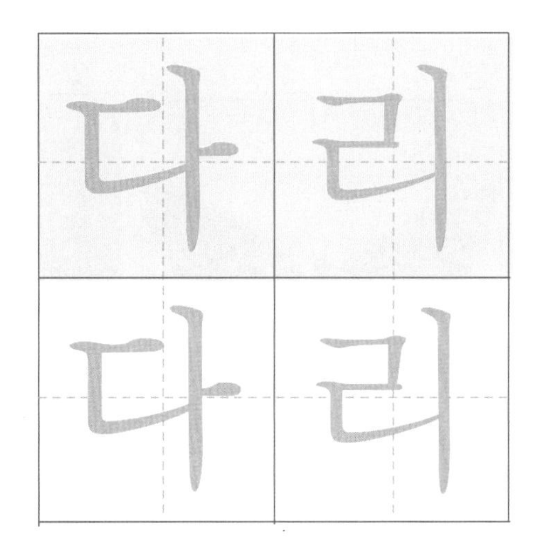
다 리
다 리

알맞은 것끼리 선으로 연결하여 봅시다.

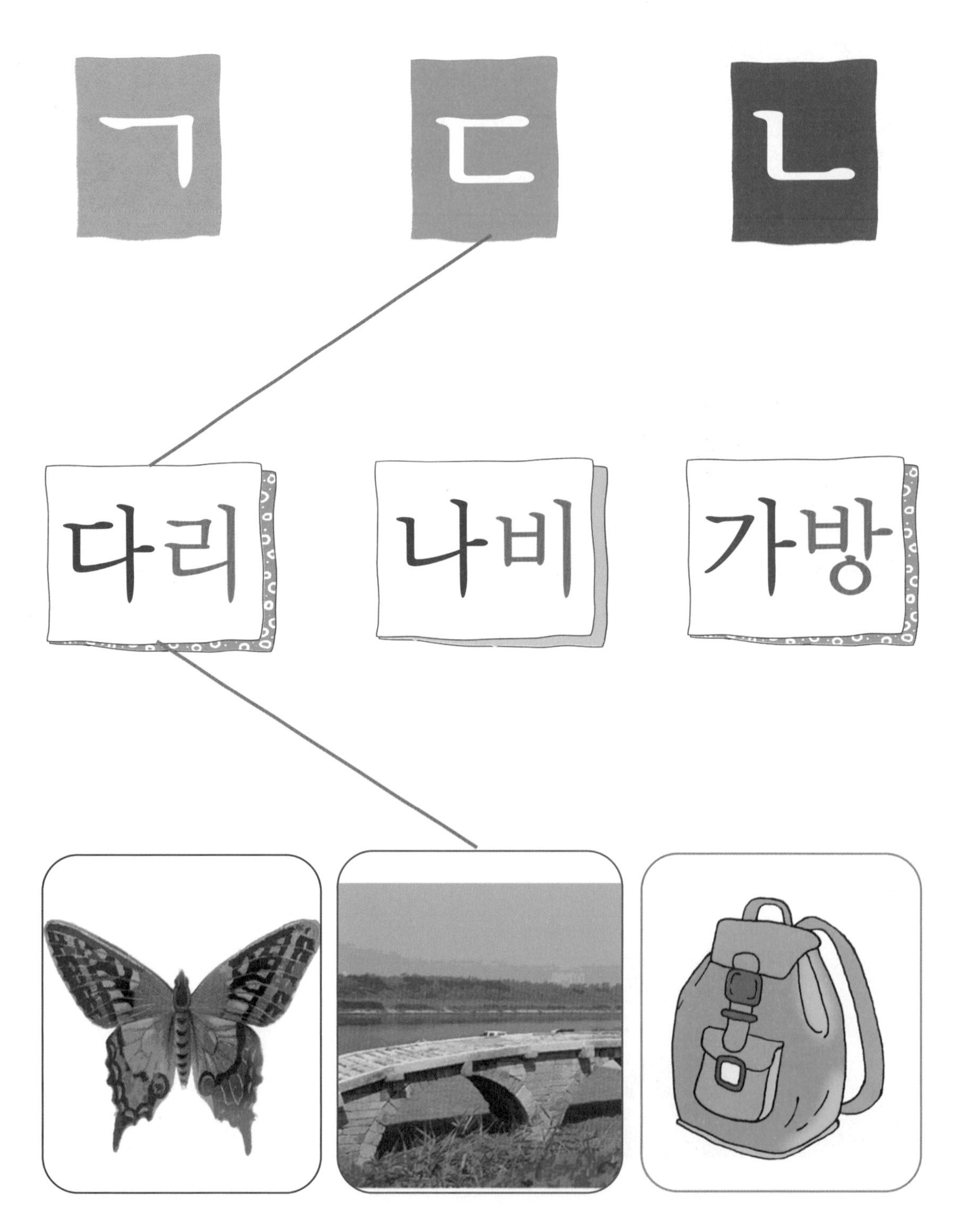

자음 'ㄱ ㄴ ㄷ' 을 예쁘게 따라 써 봅시다.

ㄱ	ㄱ	ㄱ	ㄱ	ㄱ
ㄱ	ㄱ	ㄱ	ㄱ	ㄱ

ㄴ	ㄴ	ㄴ	ㄴ	ㄴ
ㄴ	ㄴ	ㄴ	ㄴ	ㄴ

ㄷ	ㄷ	ㄷ	ㄷ	ㄷ
ㄷ	ㄷ	ㄷ	ㄷ	ㄷ

색연필로 빈칸에 ㄹ을 예쁘게 써 봅시다.

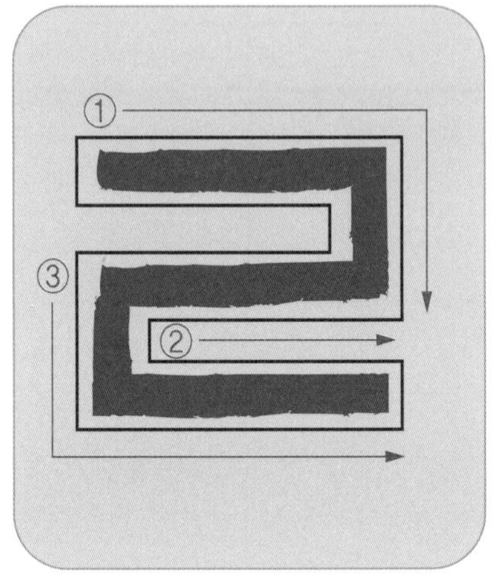

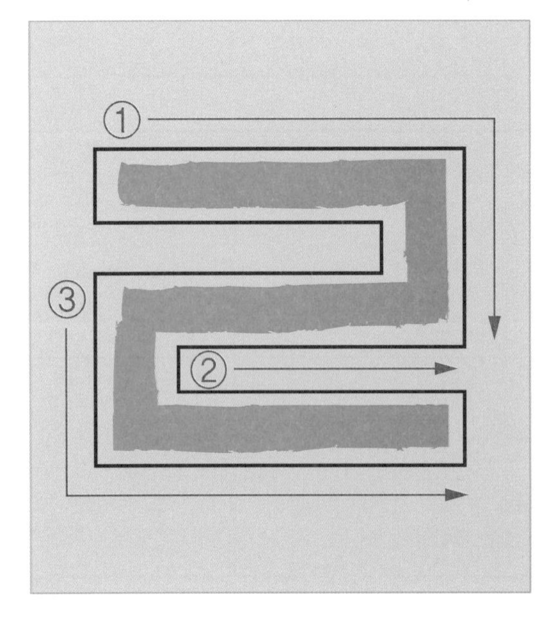

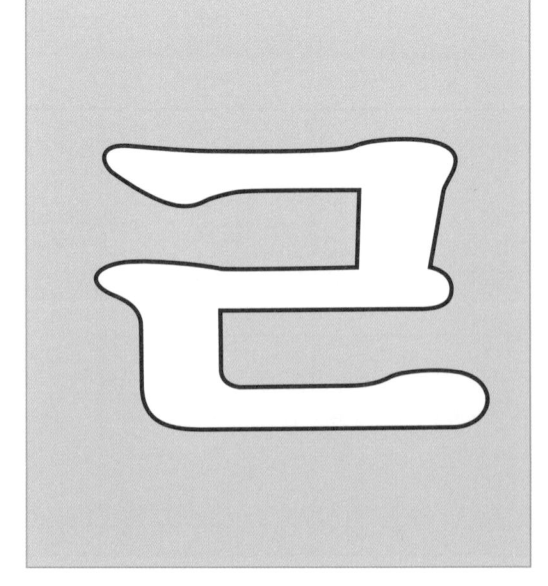

색연필로 빈칸에 ㄹ을 예쁘게 써 봅시다.

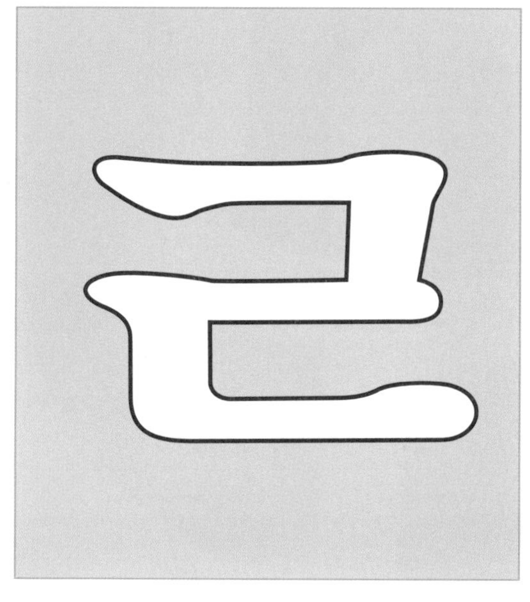

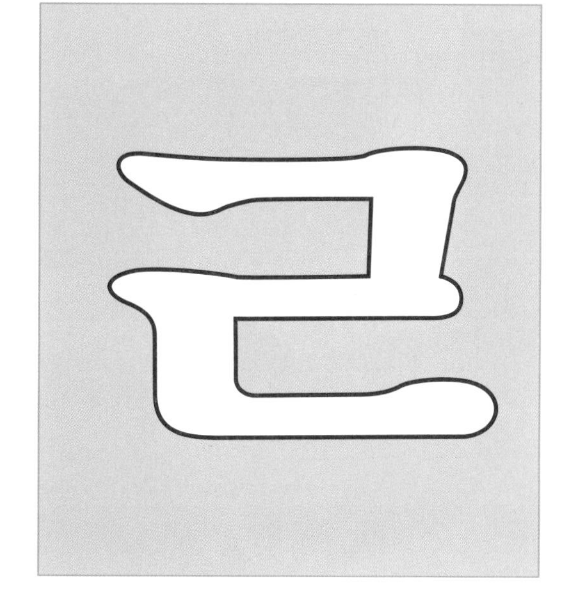

화살표를 따라가며 ㄷ~ㅂ까지의 자음 순서를 알아 봅시다.

자음 'ㄴ ㄷ ㄹ'을 따라 써 봅시다.

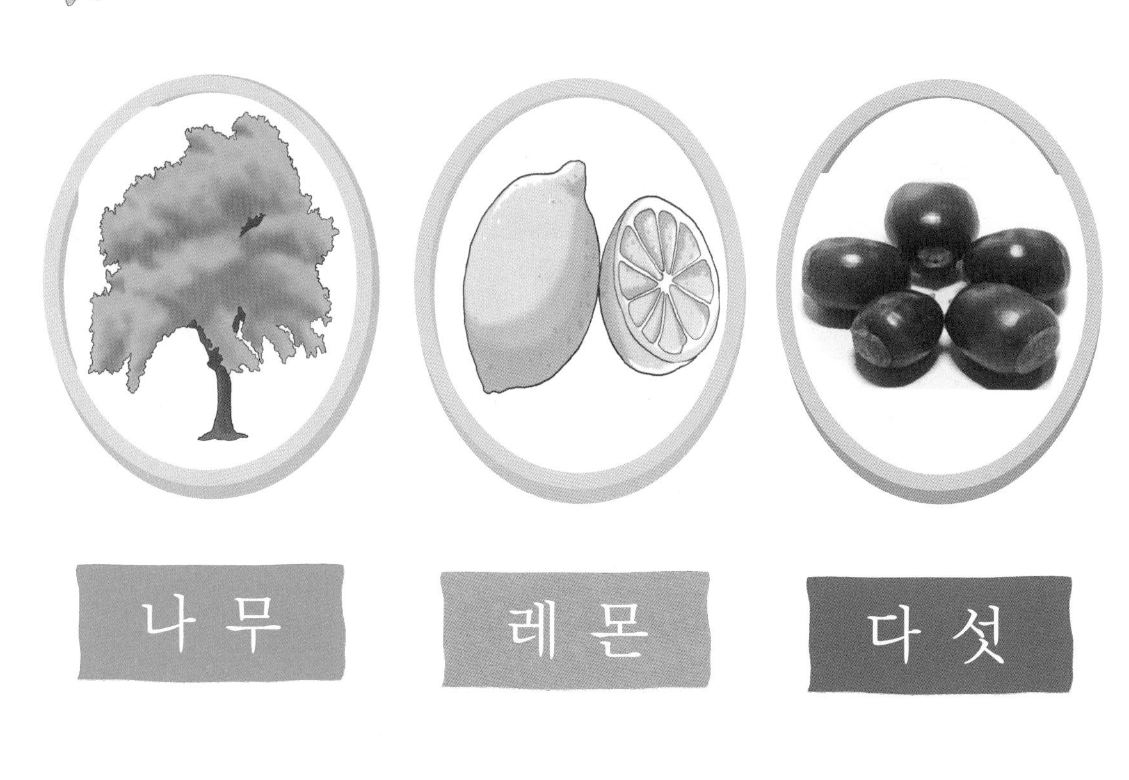

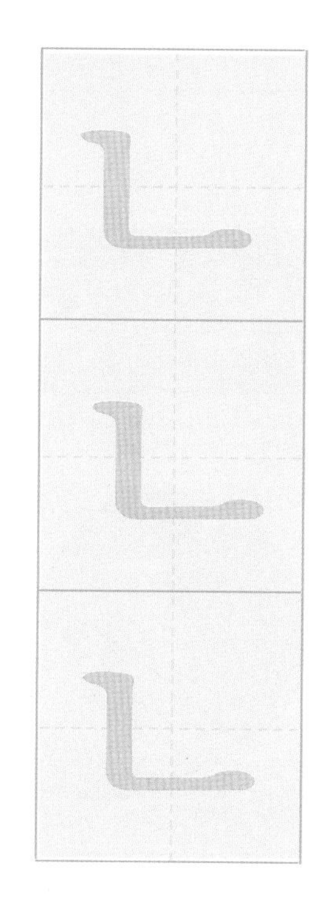

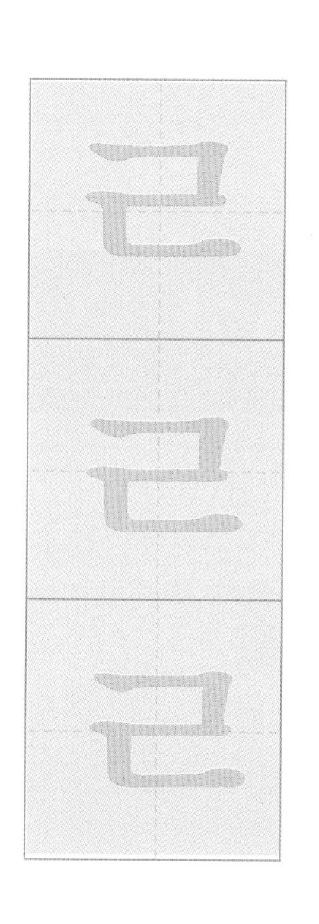

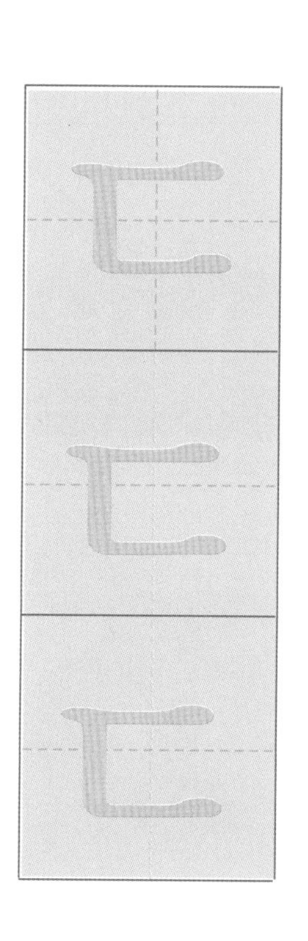

☆ 'ㄷ ㄹ ㅁ'이 들어간 글자를 선으로 연결하여 봅시다.

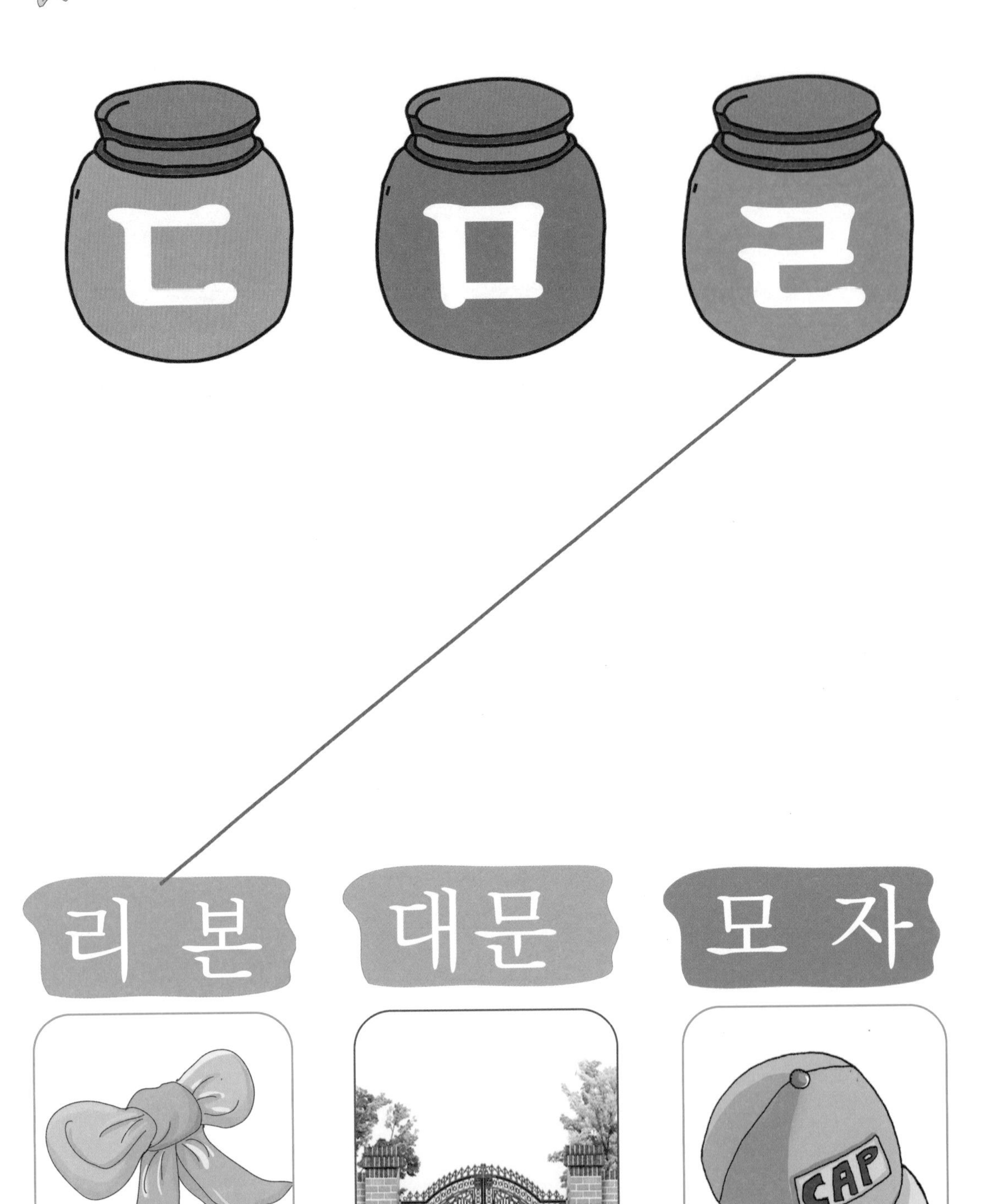

'ㄷ ㄹ ㅁ'이 들어간 낱말을 예쁘게 따라 써 봅시다.

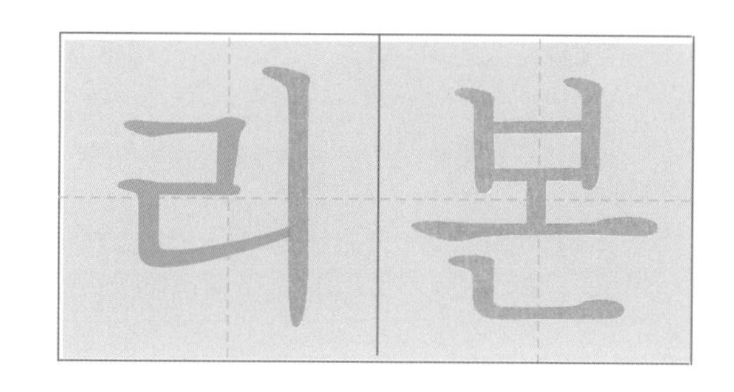

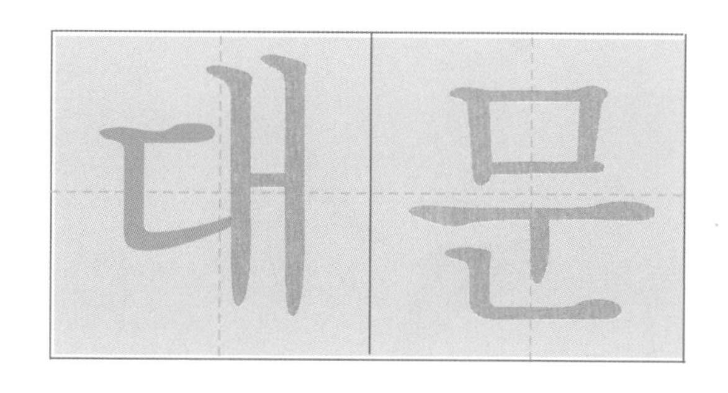

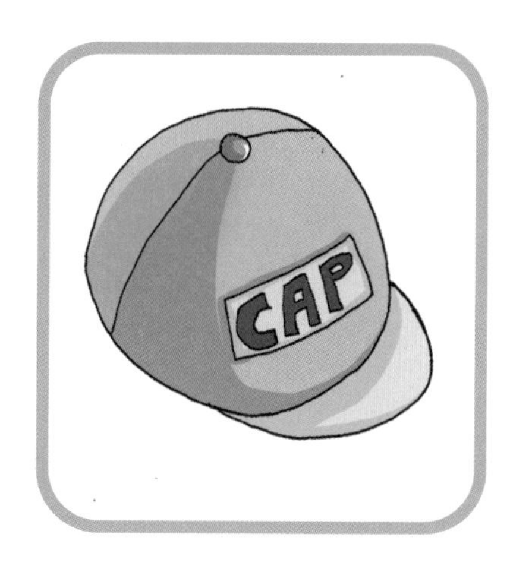

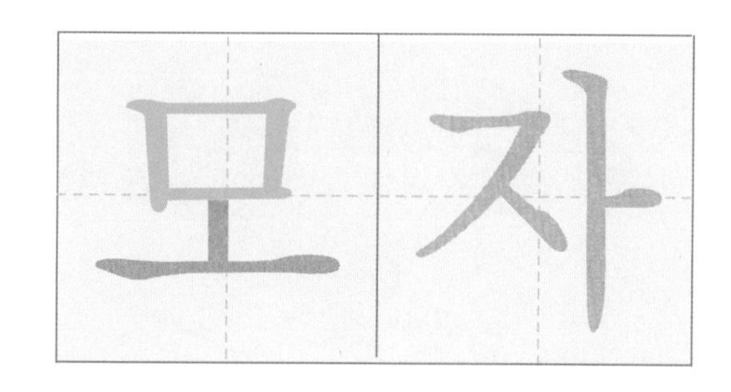

자음 'ㄷ, ㄹ, ㅁ'을 모두 찾아 봅시다.

그림을 보고 예쁘게 따라 써 봅시다.

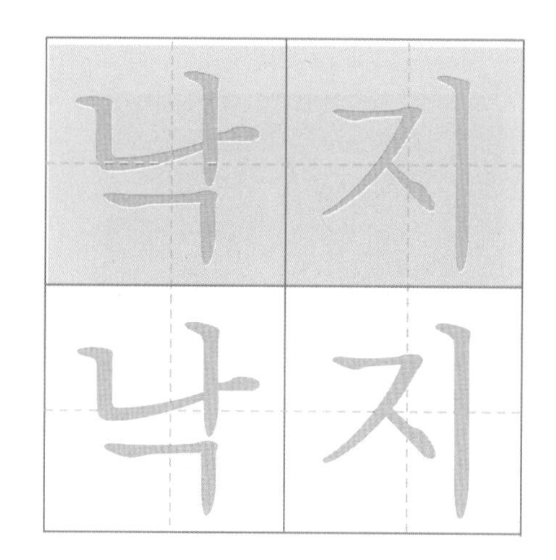

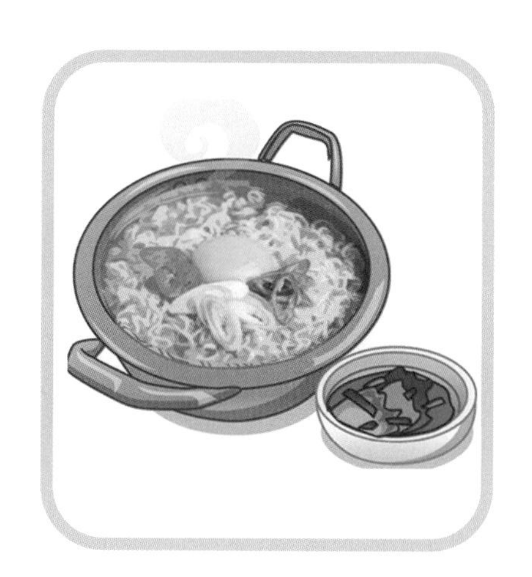

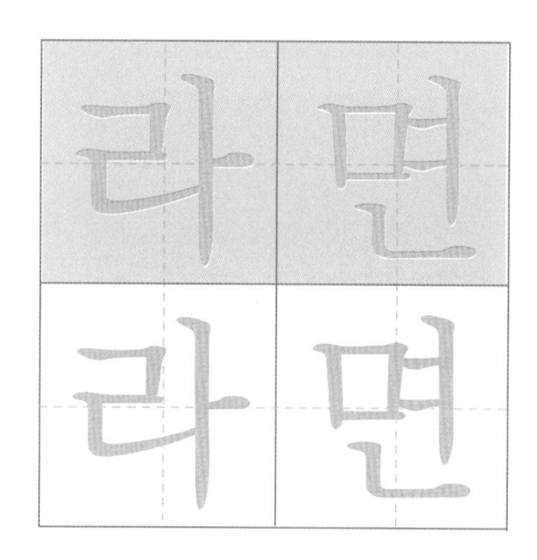

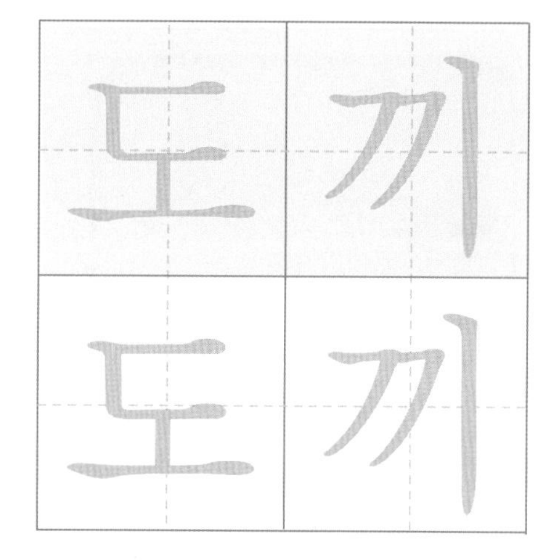

서로 알맞은 것끼리 선으로 연결하여 봅시다.

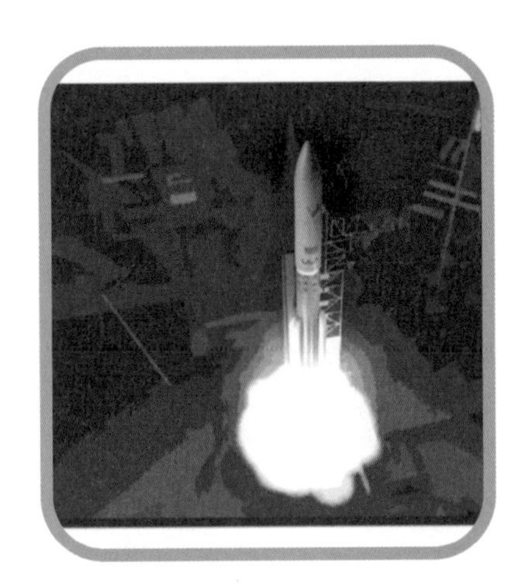

로켓

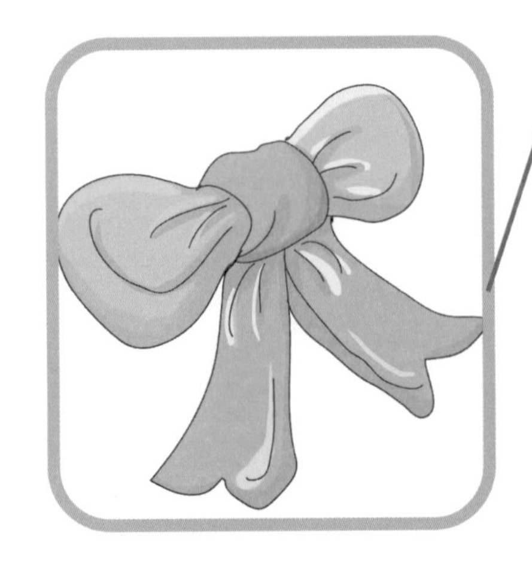

다리

그림을 보고 예쁘게 따라 써 봅시다.

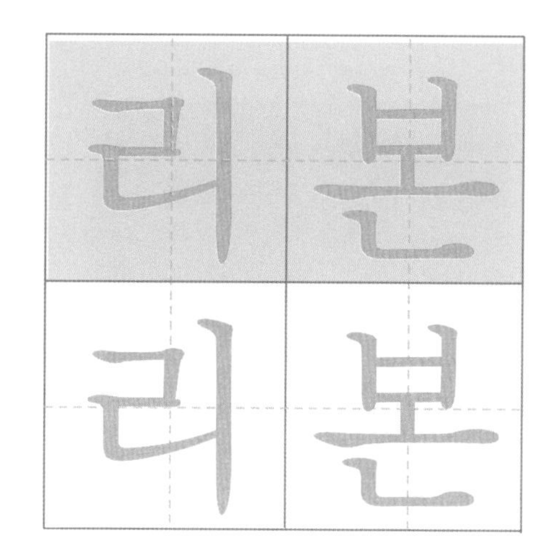

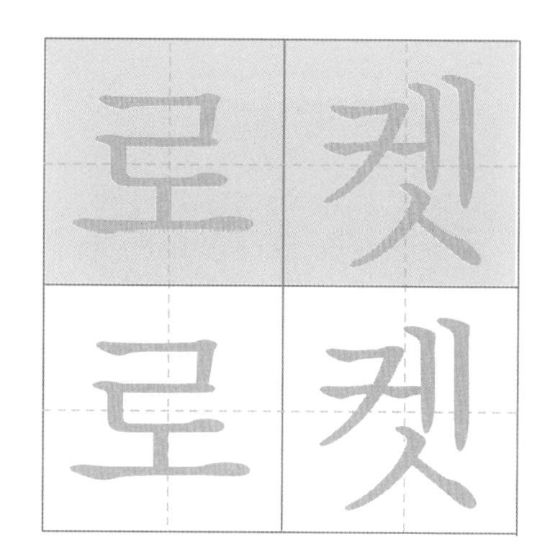

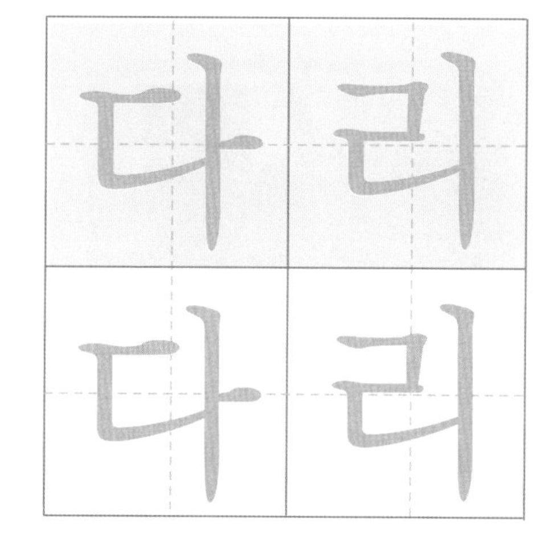

그림을 보고 예쁘게 따라 써 봅시다.

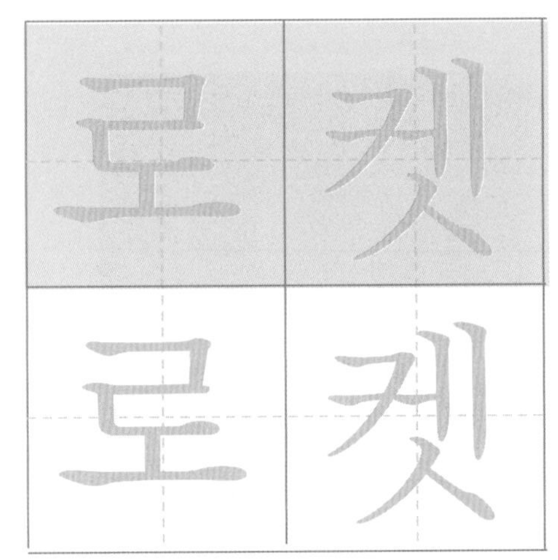

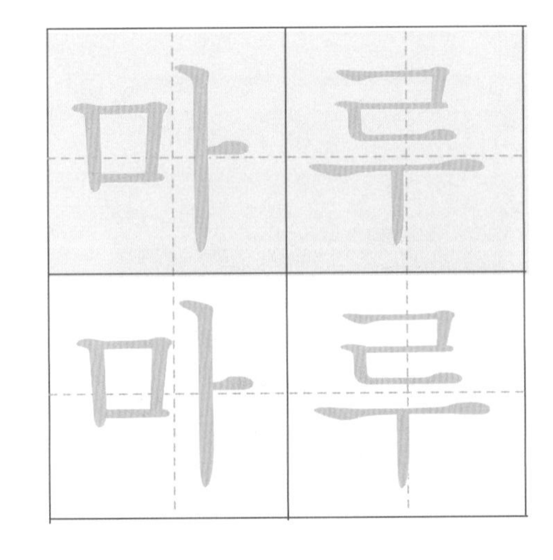

★ 'ㄴ ㄷ ㄹ'이 들어간 낱말을 예쁘게 따라 써 봅시다.

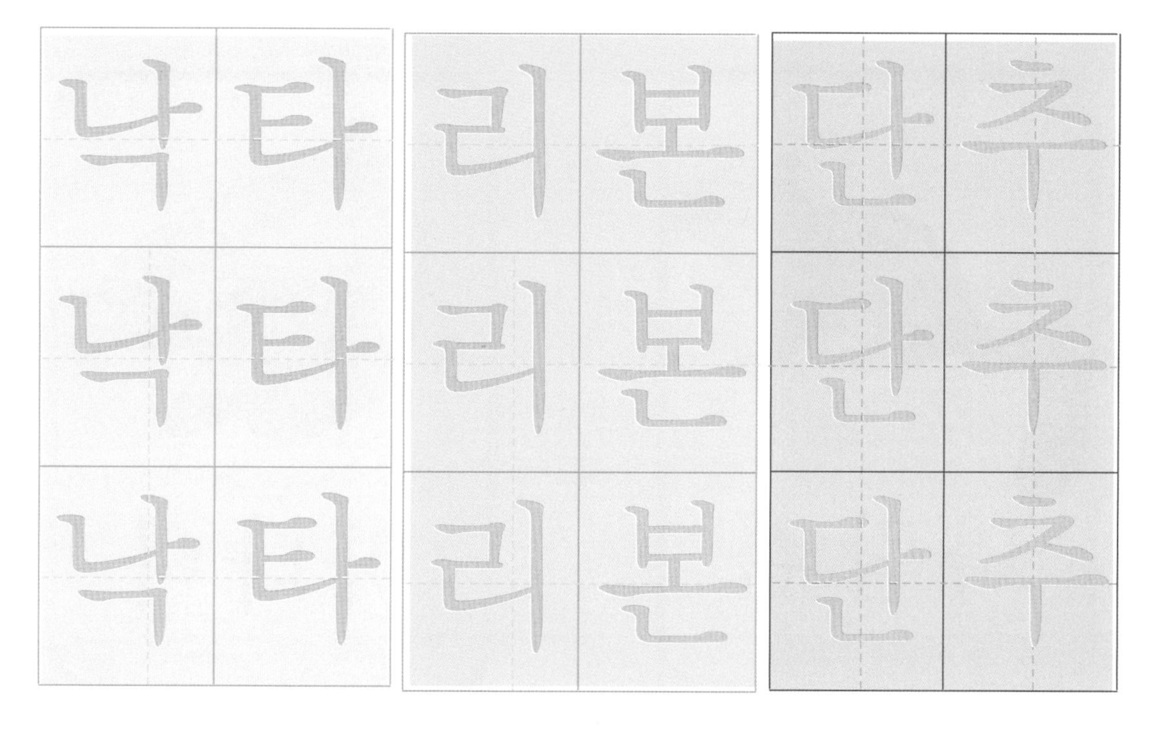

‘ㄷ’이 들어간 낱말에 ㅇ표를 하여 봅시다.

 'ㄹ' 이 들어간 낱말에 ㅇ표를 하여 봅시다.

색연필로 빈칸에 ㅁ을 예쁘게 써 봅시다.

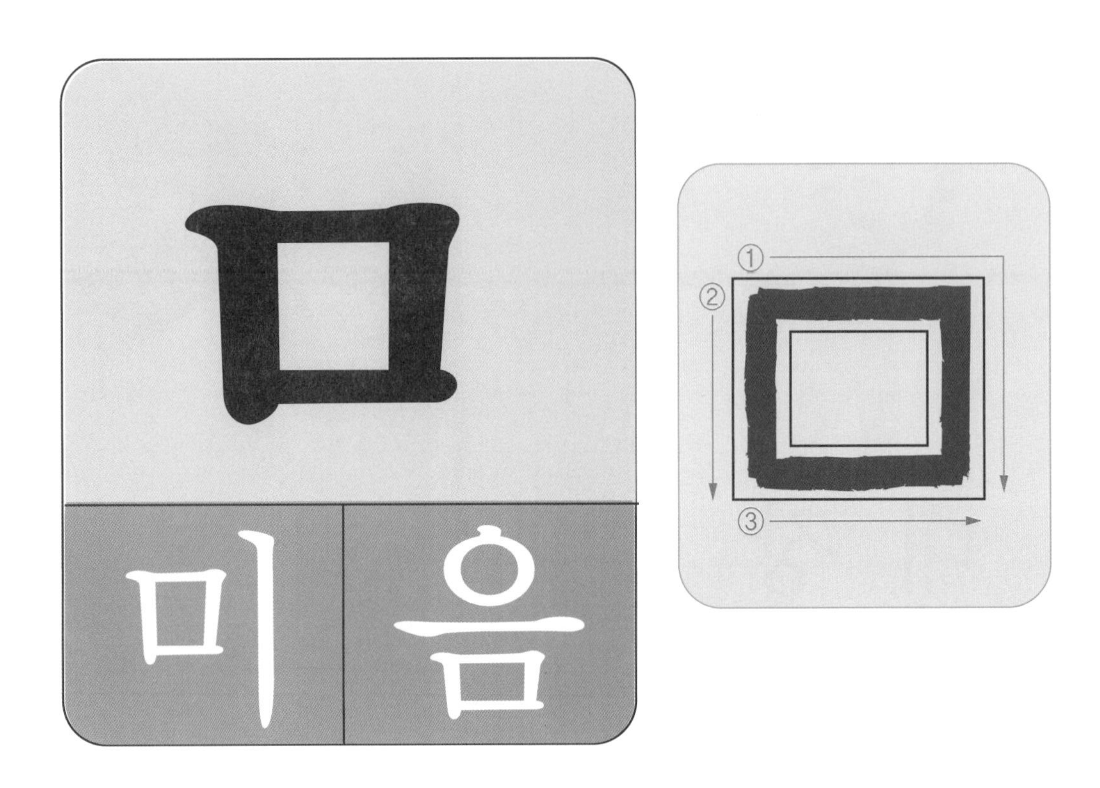

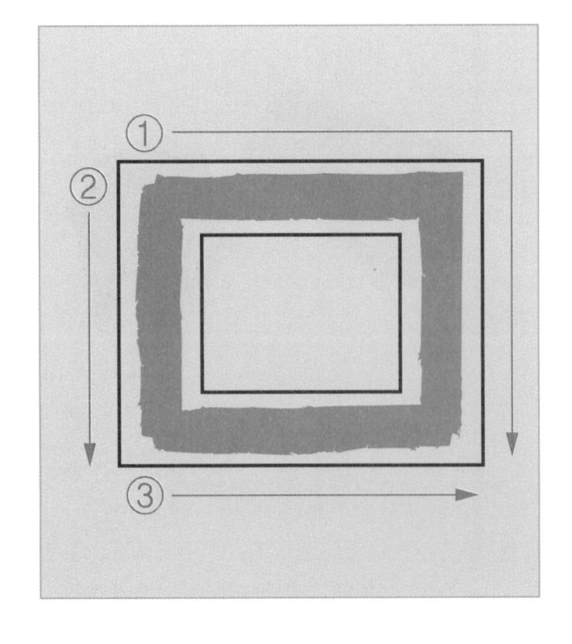

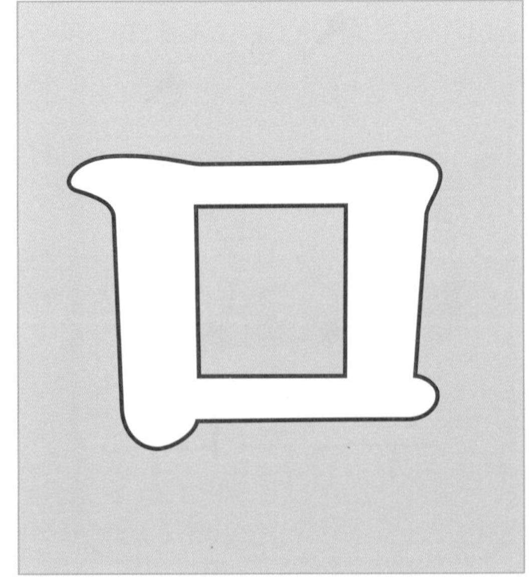

색연필로 빈칸에 ㅁ을 예쁘게 써 봅시다.

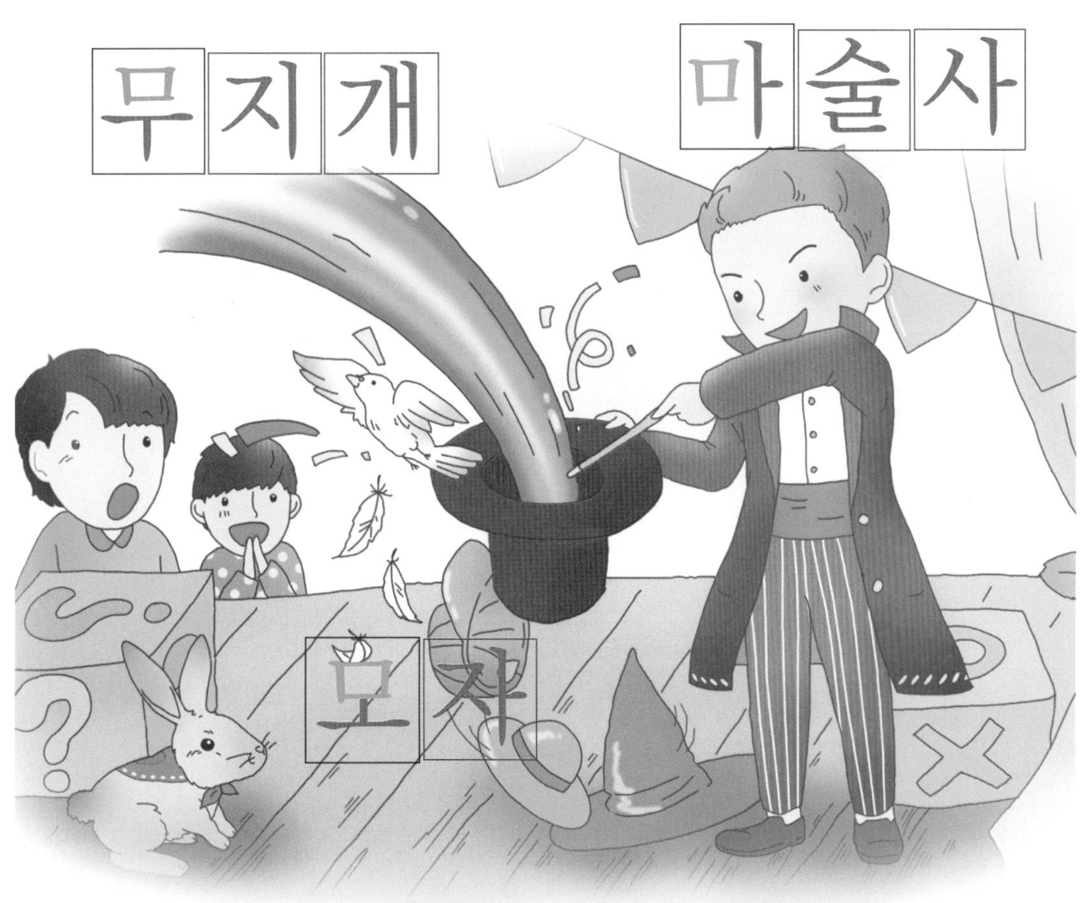

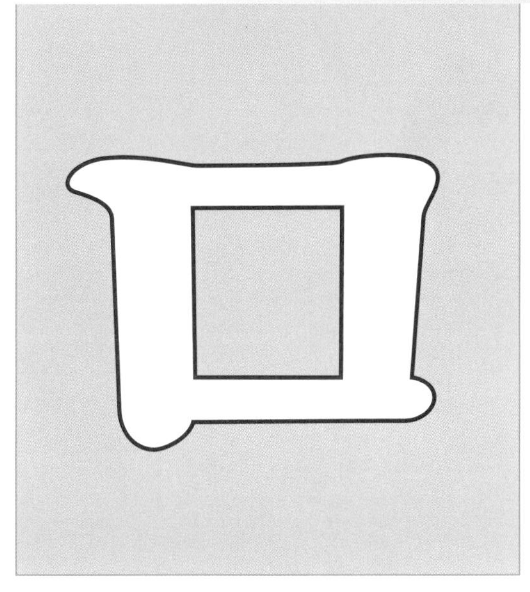

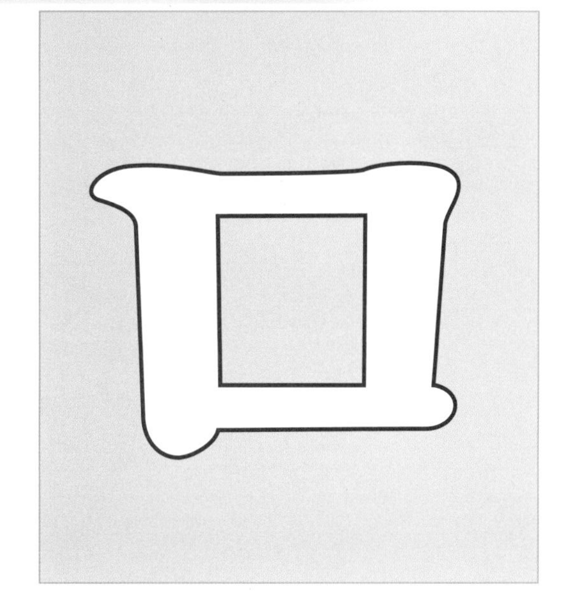

ㄹ~ㅅ까지의 자음 순서를 따라 징검다리를 건너 봅시다.

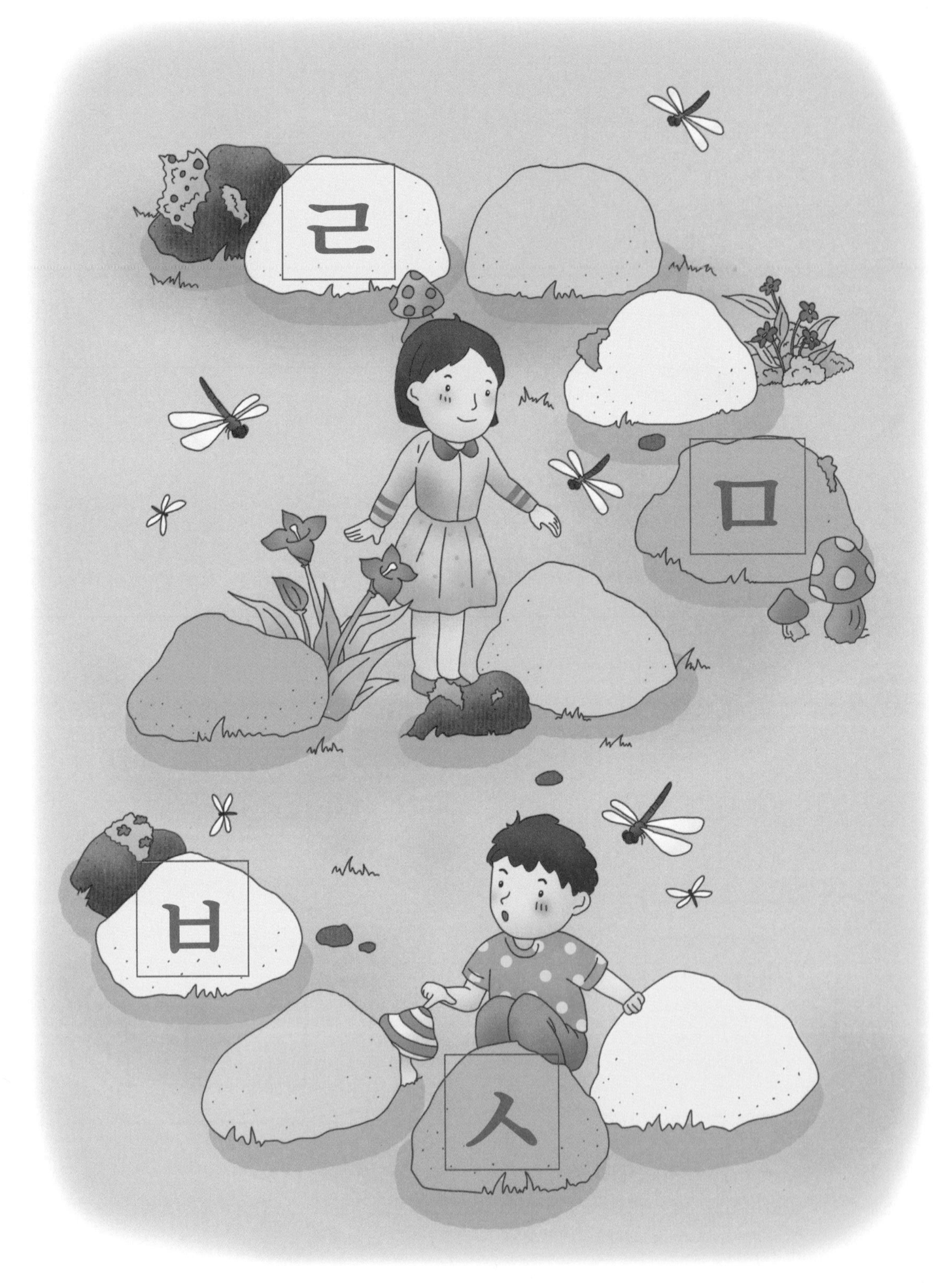

자음 'ㄷ ㄹ ㅁ'을 따라 써 봅시다.

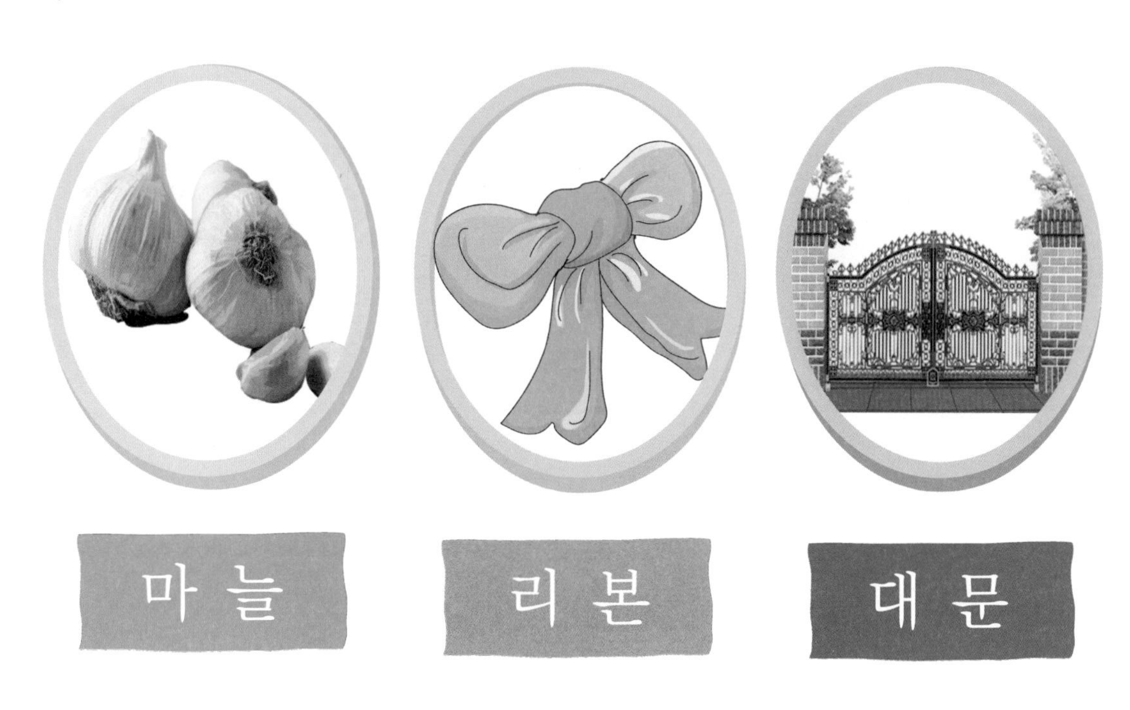

마늘 리본 대문

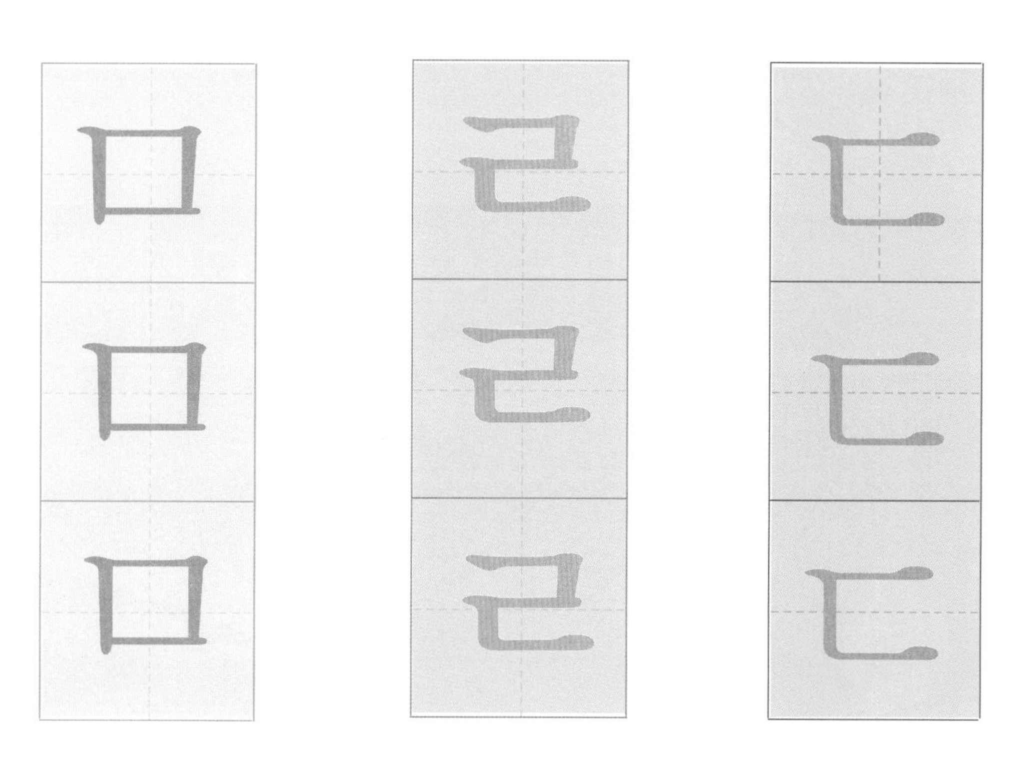

☆ 'ㄷ ㄹ ㅁ' 이 들어간 글자를 선으로 연결하여 봅시다.

로켓

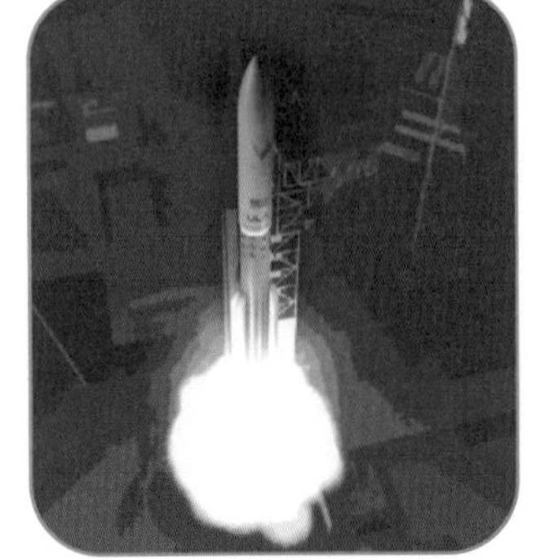

마루

다리

'ㄷ ㄹ ㅁ'이 들어간 낱말을 예쁘게 따라 써 봅시다.

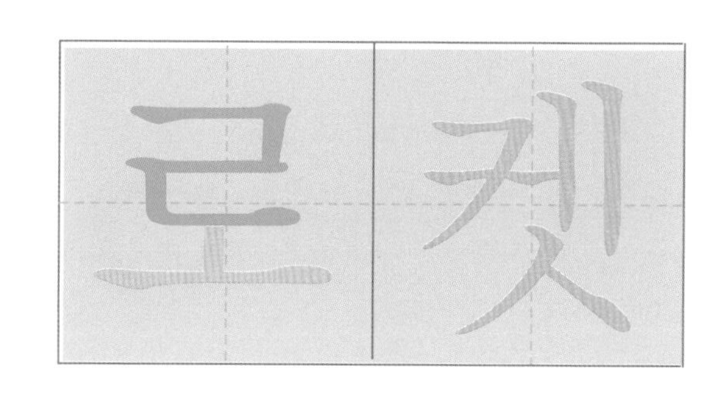

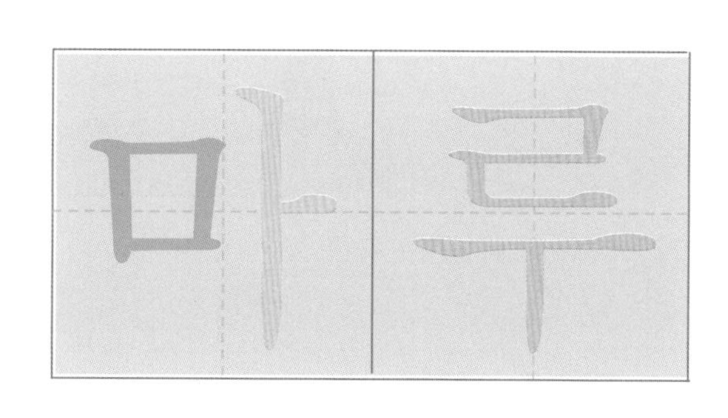

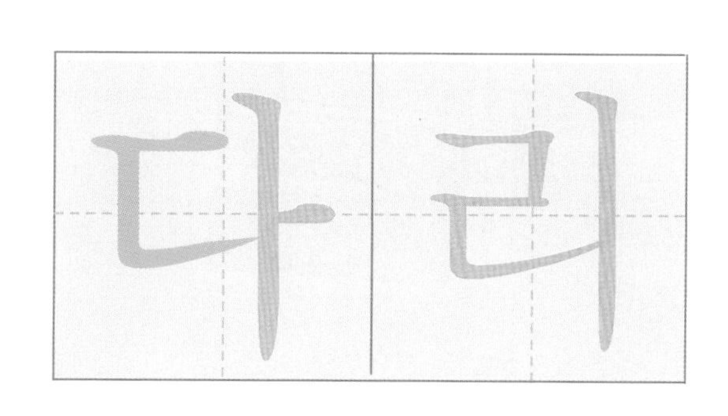

자음 'ㄹ, ㅁ, ㅂ'을 모두 찾아 봅시다.

☆ 그림을 보고 예쁘게 따라 써 봅시다.

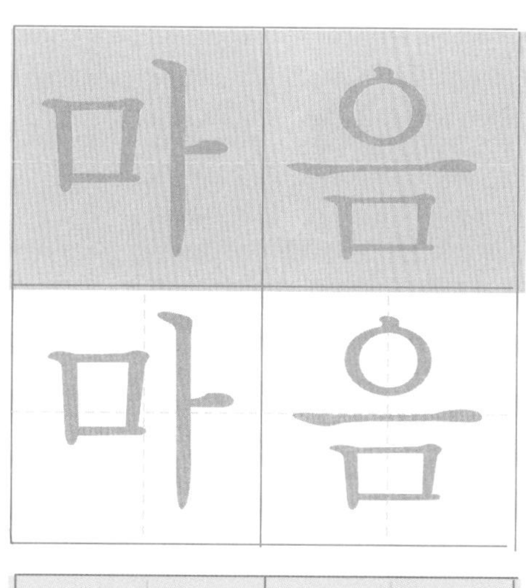

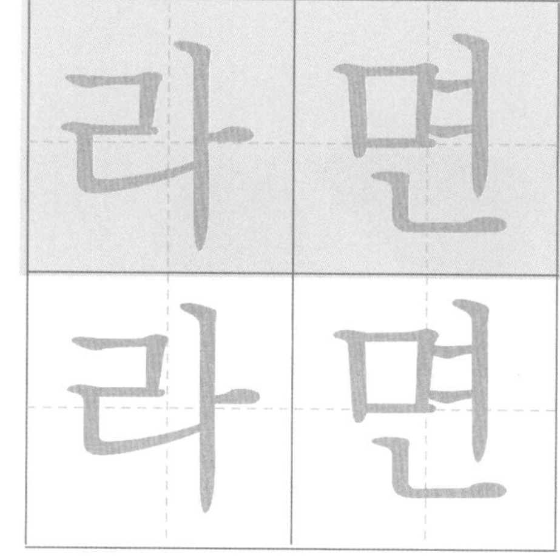

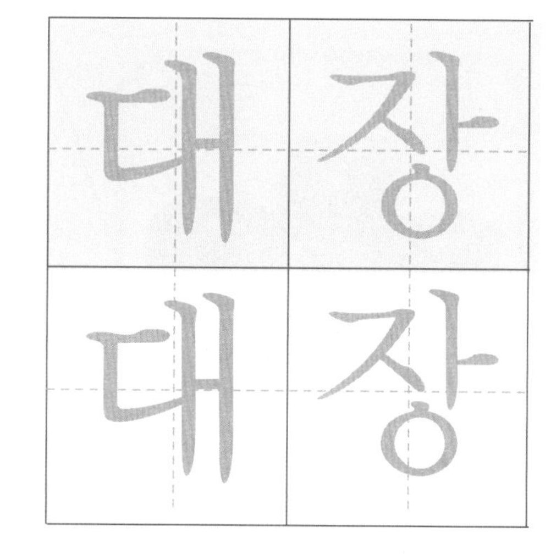

서로 알맞은 것끼리 선으로 연결하여 봅시다.

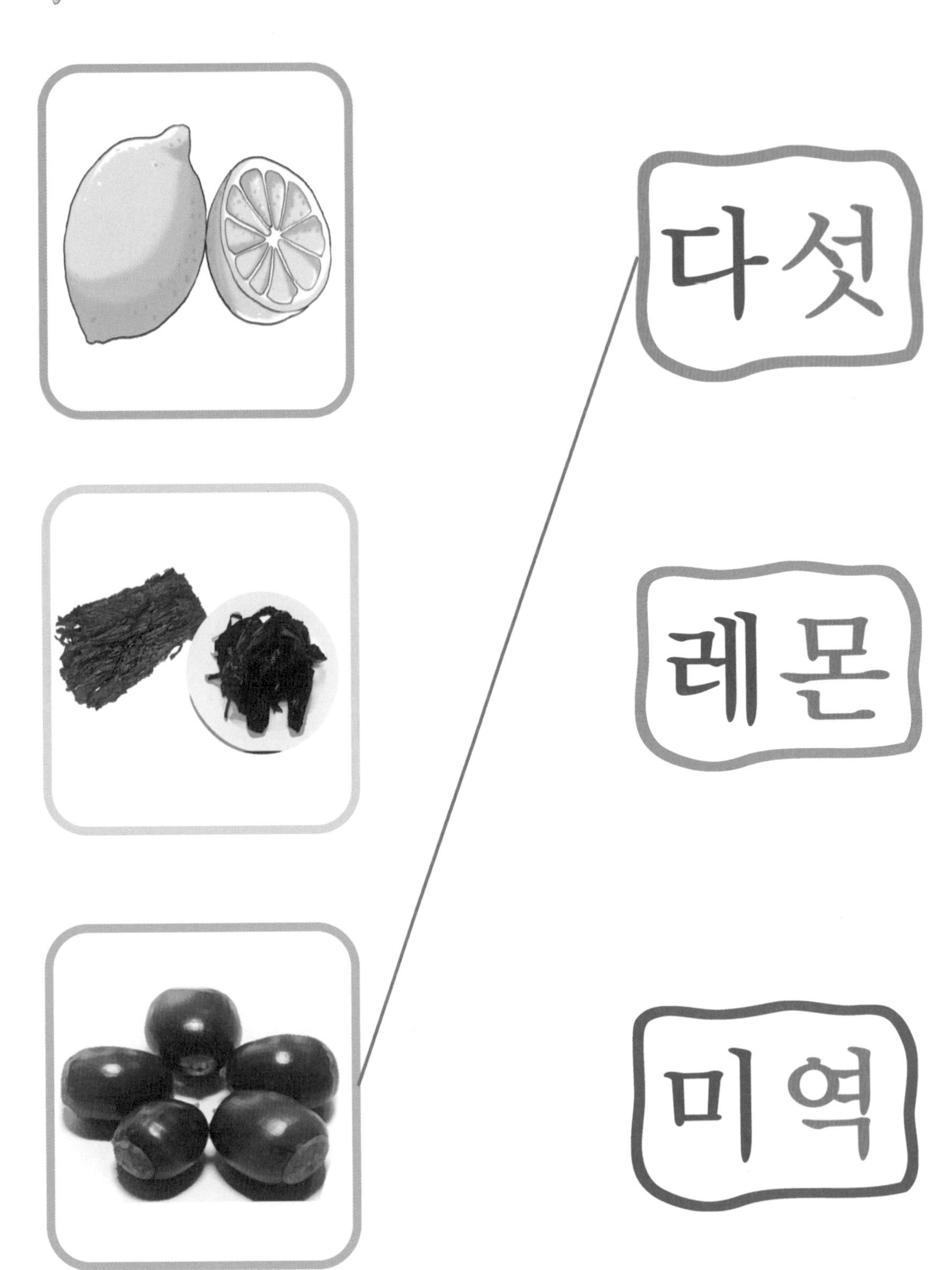

그림을 보며 예쁘게 따라 써 봅시다.

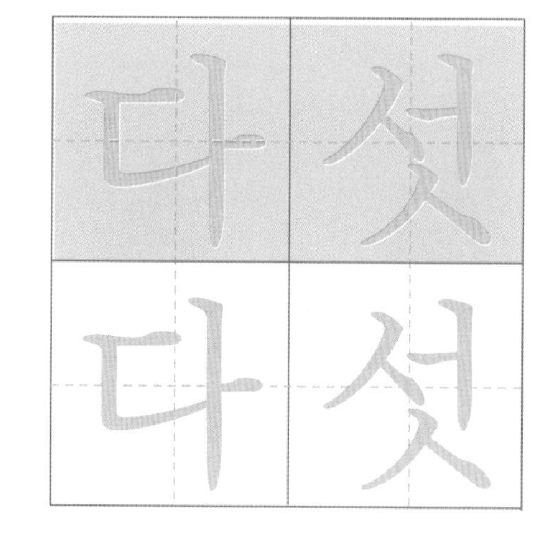

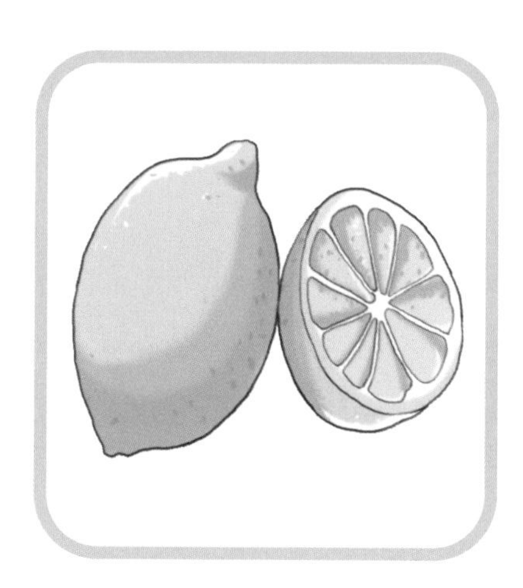

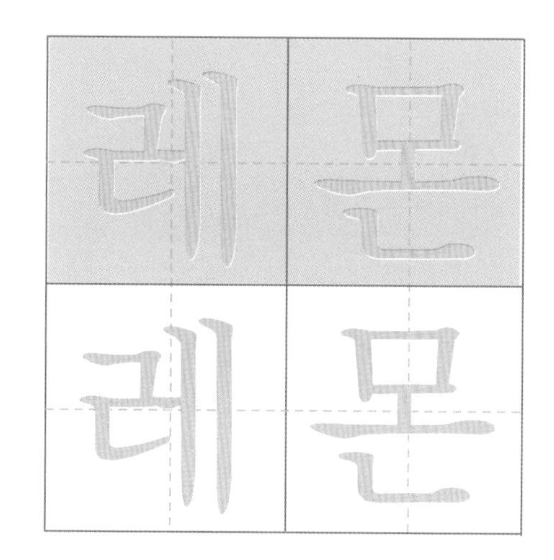

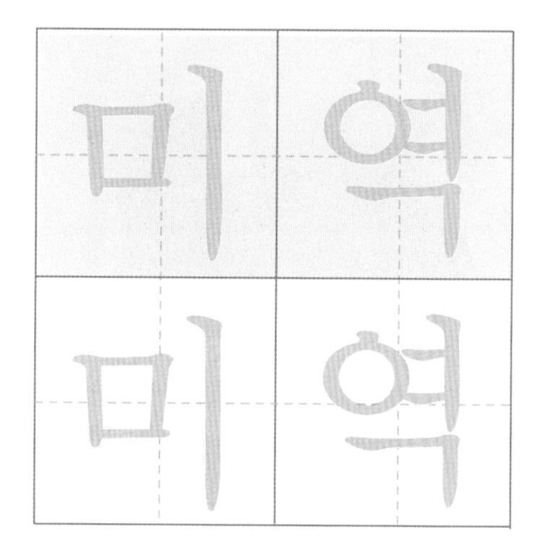

서로 알맞은 것끼리 선으로 연결하여 봅시다.

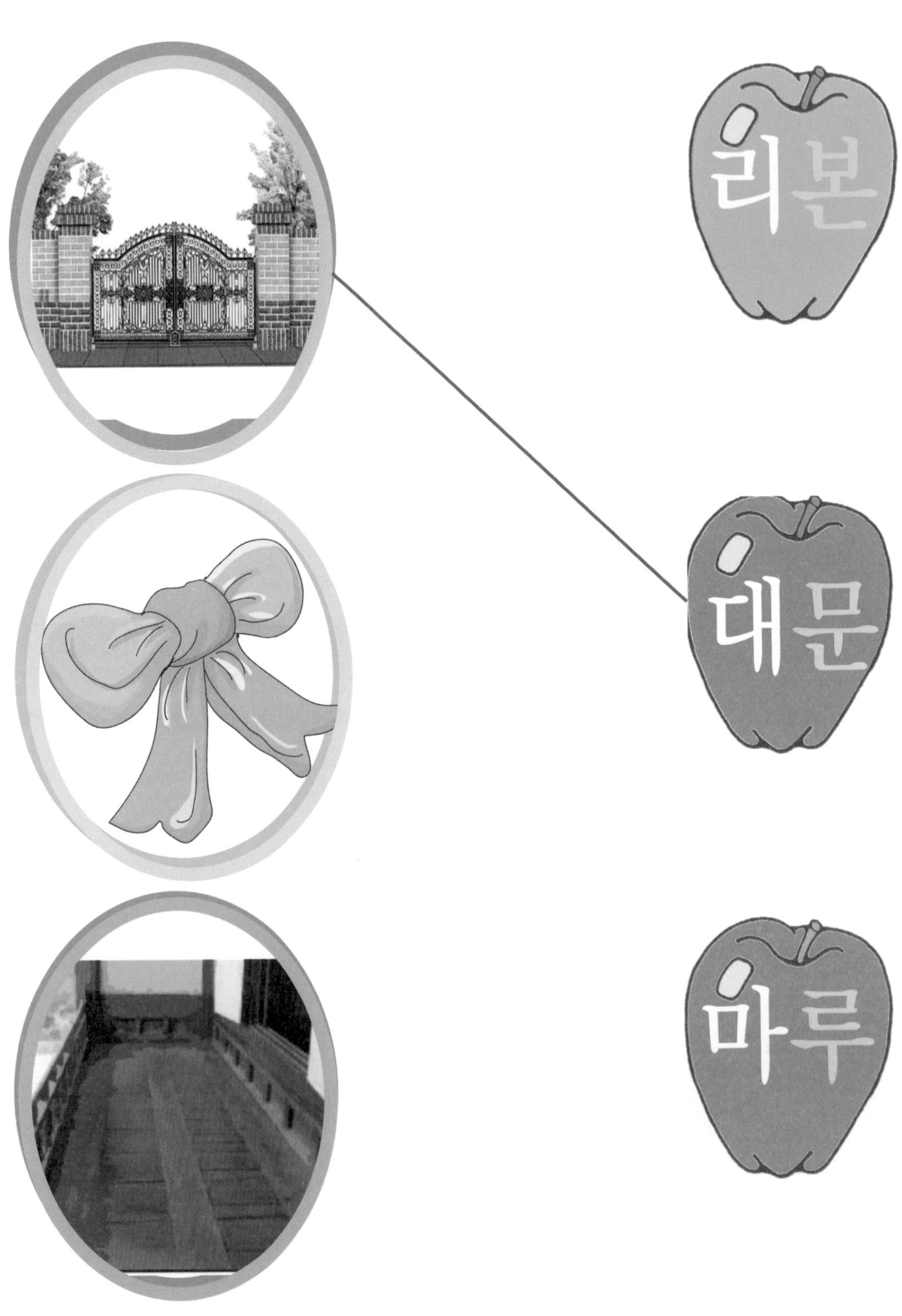

☆ 'ㄴ ㄷ ㄹ'이 들어간 낱말을 예쁘게 따라 써 봅시다.

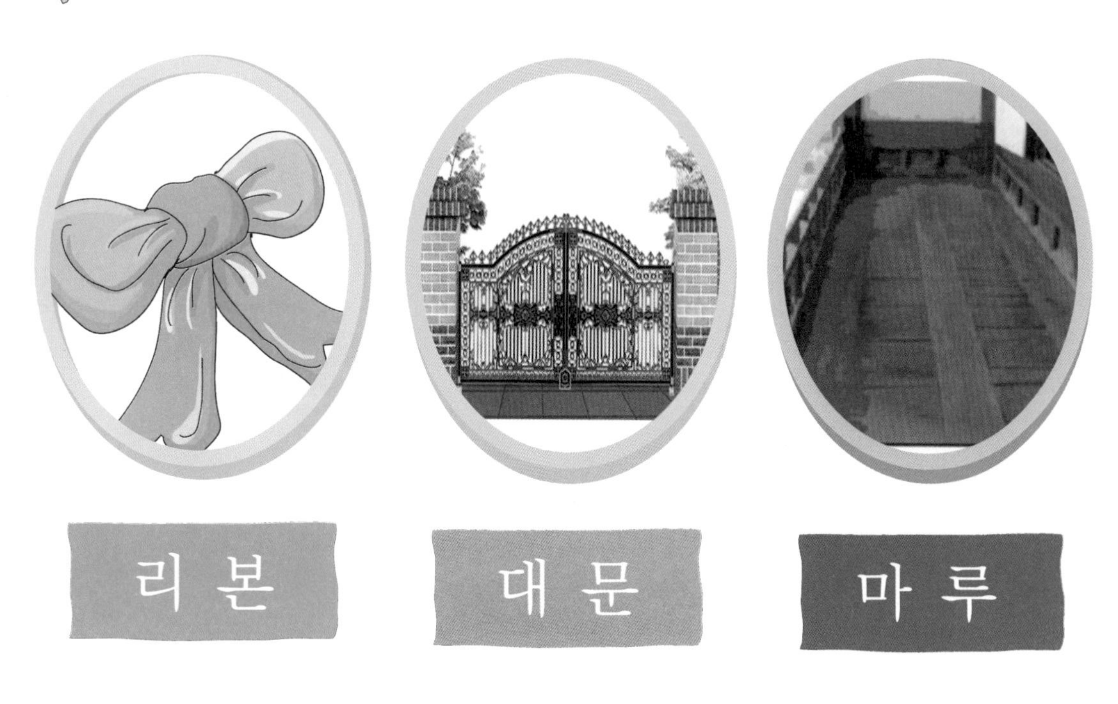

리	본	대	문	마	루
리	본	대	문	마	루
리	본	대	문	마	루

☆ 그림을 보며 예쁘게 따라 써 봅시다.

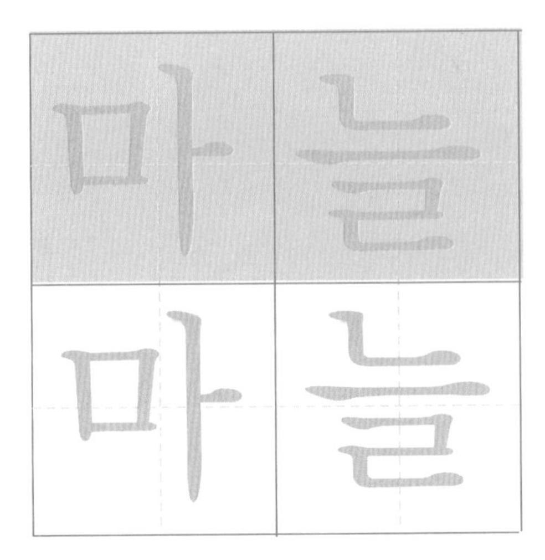

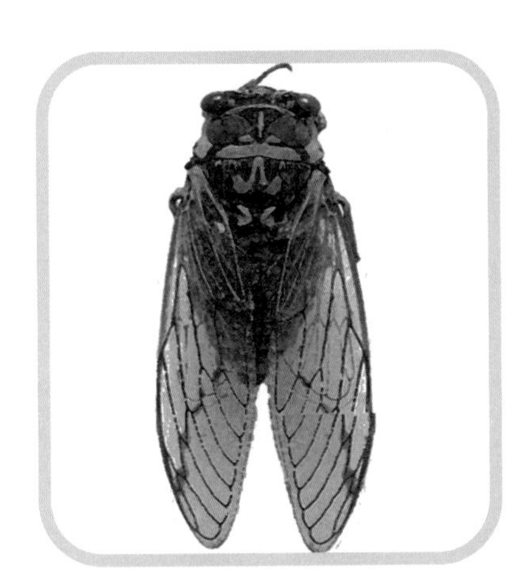

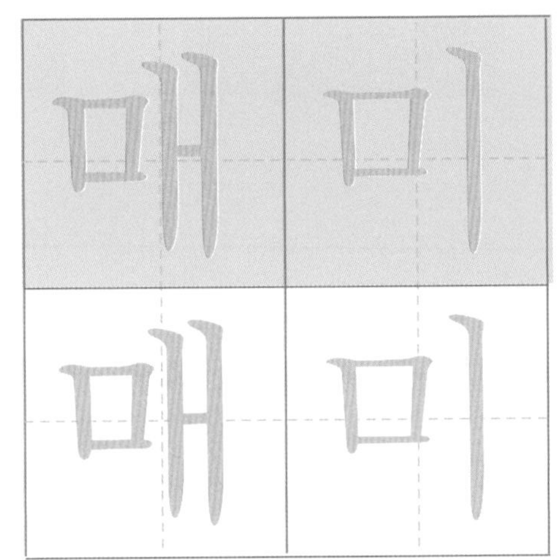

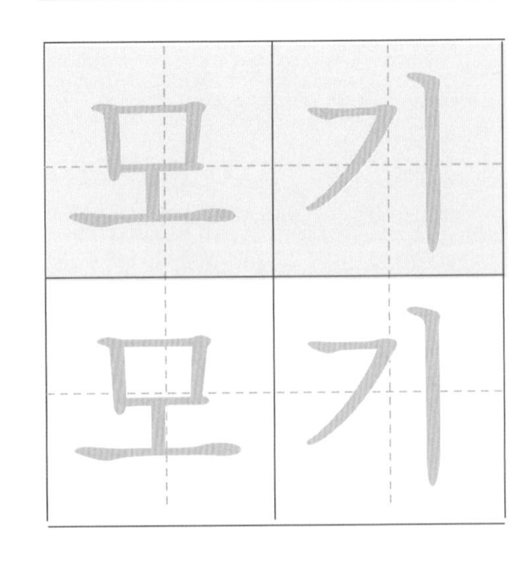

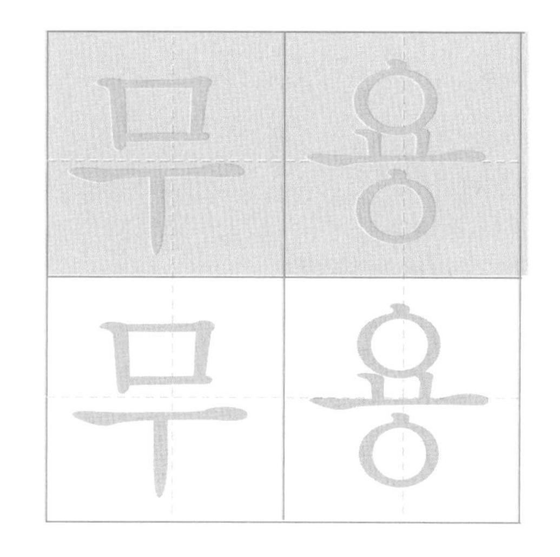
무용
무용

대 장

대장
대장

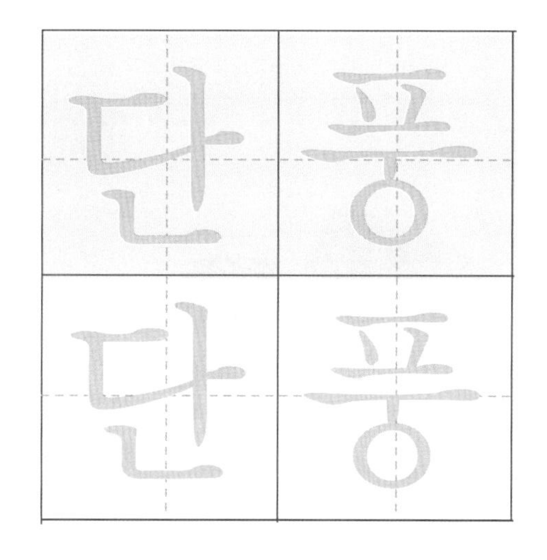
단풍
단풍

☆ 알맞은 것끼리 선으로 연결하여 봅시다.

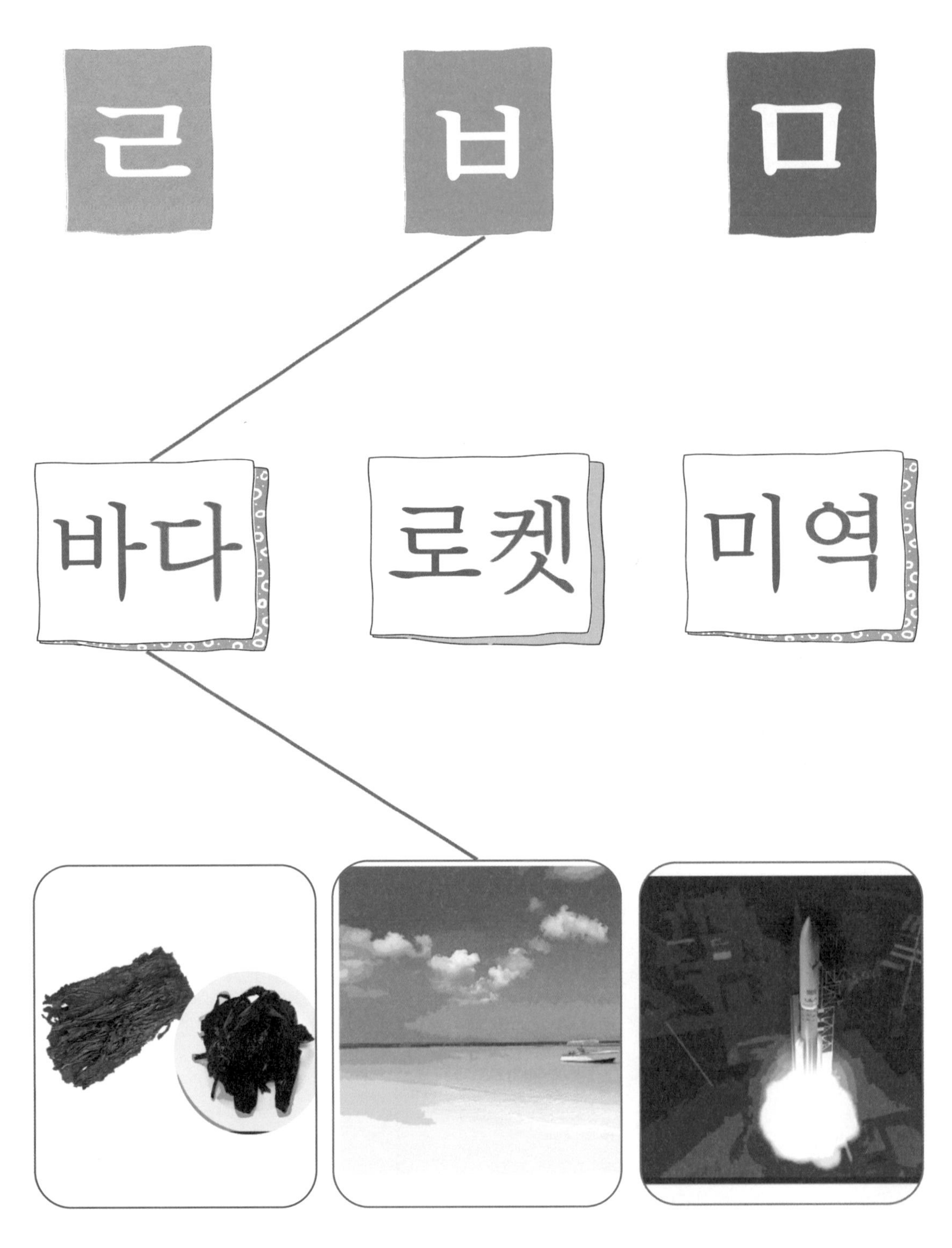

그림을 보고 예쁘게 따라 써 봅시다.

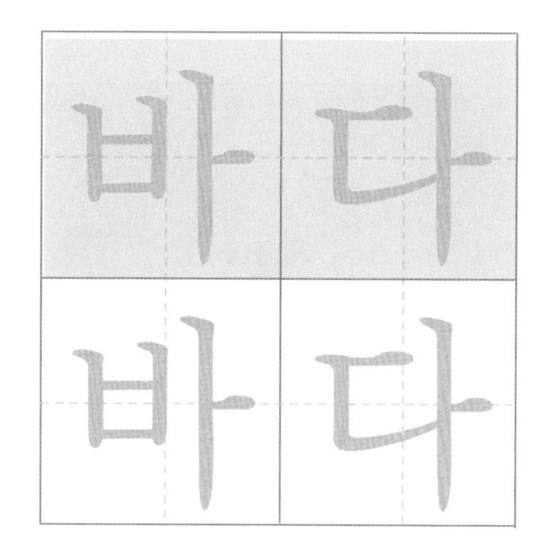

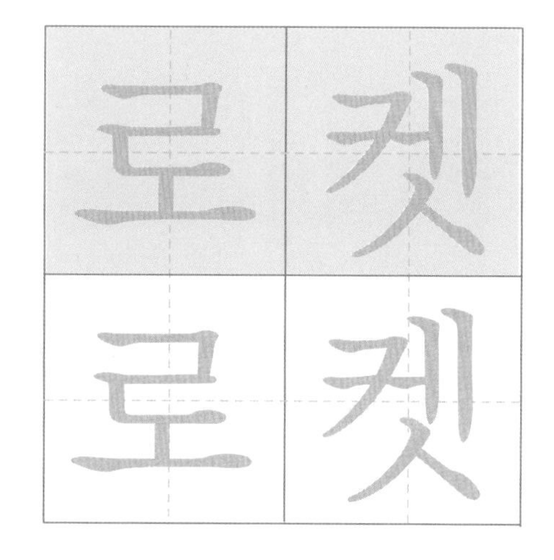

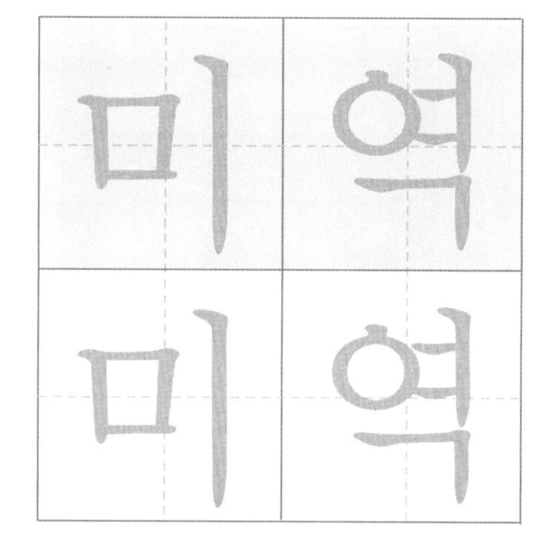

색연필로 빈칸에 **ㅂ**을 예쁘게 써 봅시다.

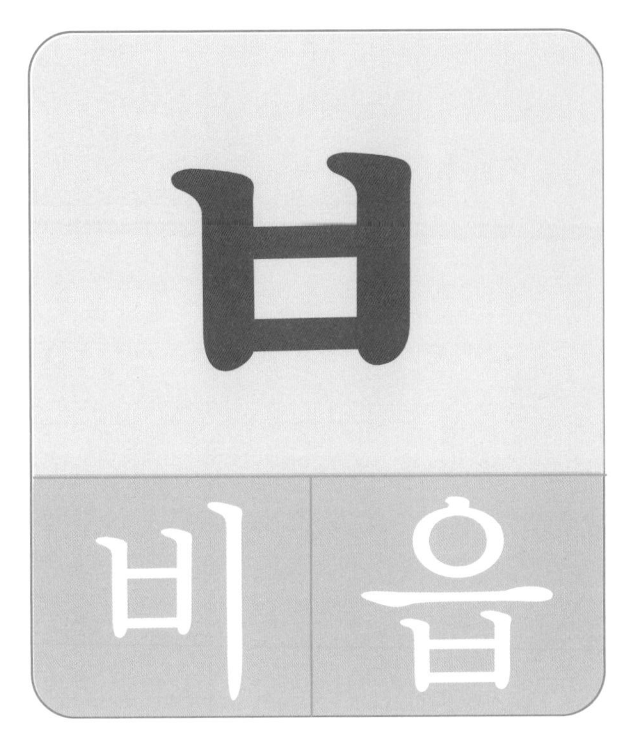

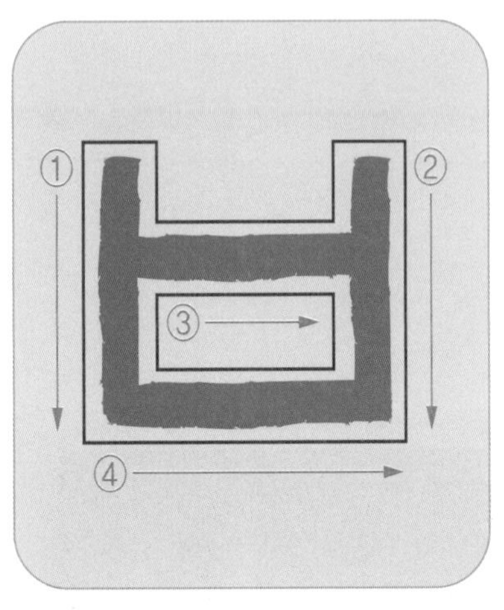

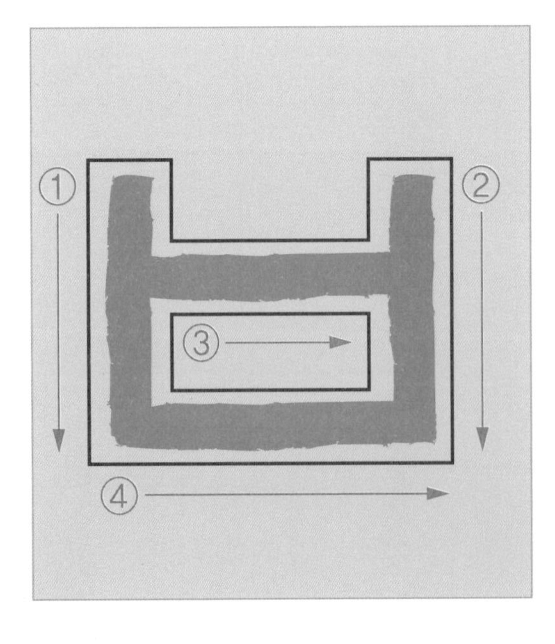

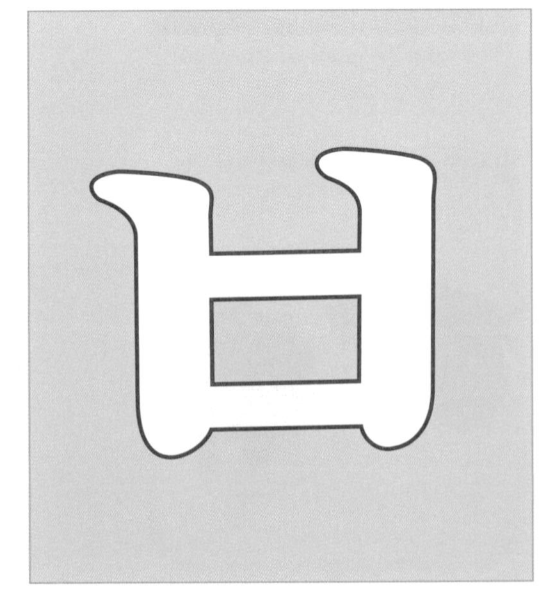

색연필로 빈칸에 ㅂ을 예쁘게 써 봅시다.

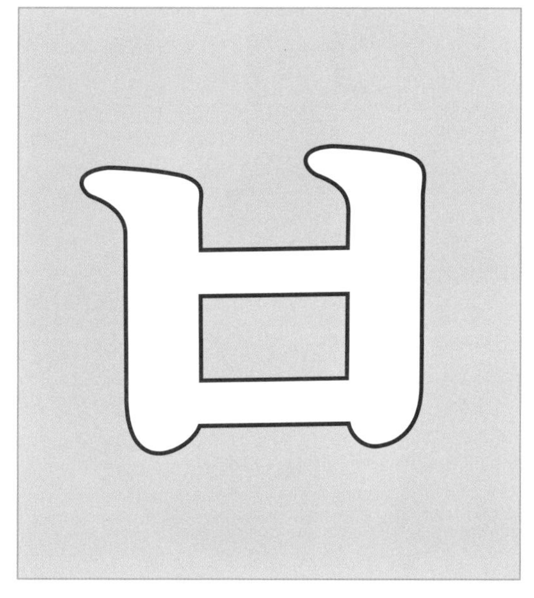

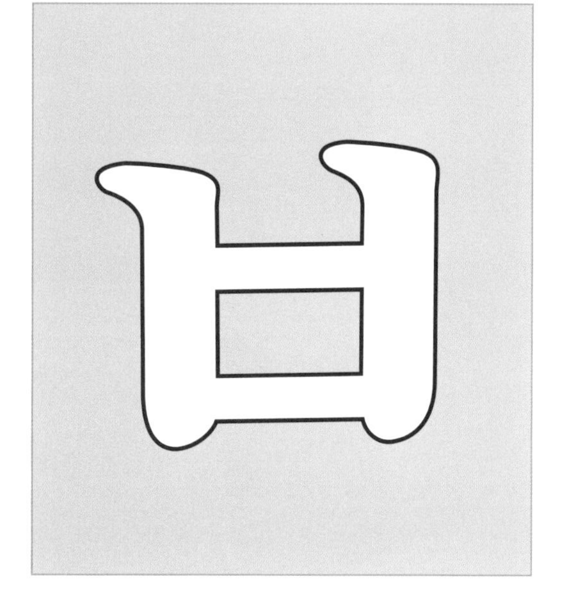

화살표를 따라가며 ㅁ~ㅇ까지의 자음 순서를 알아 봅시다.

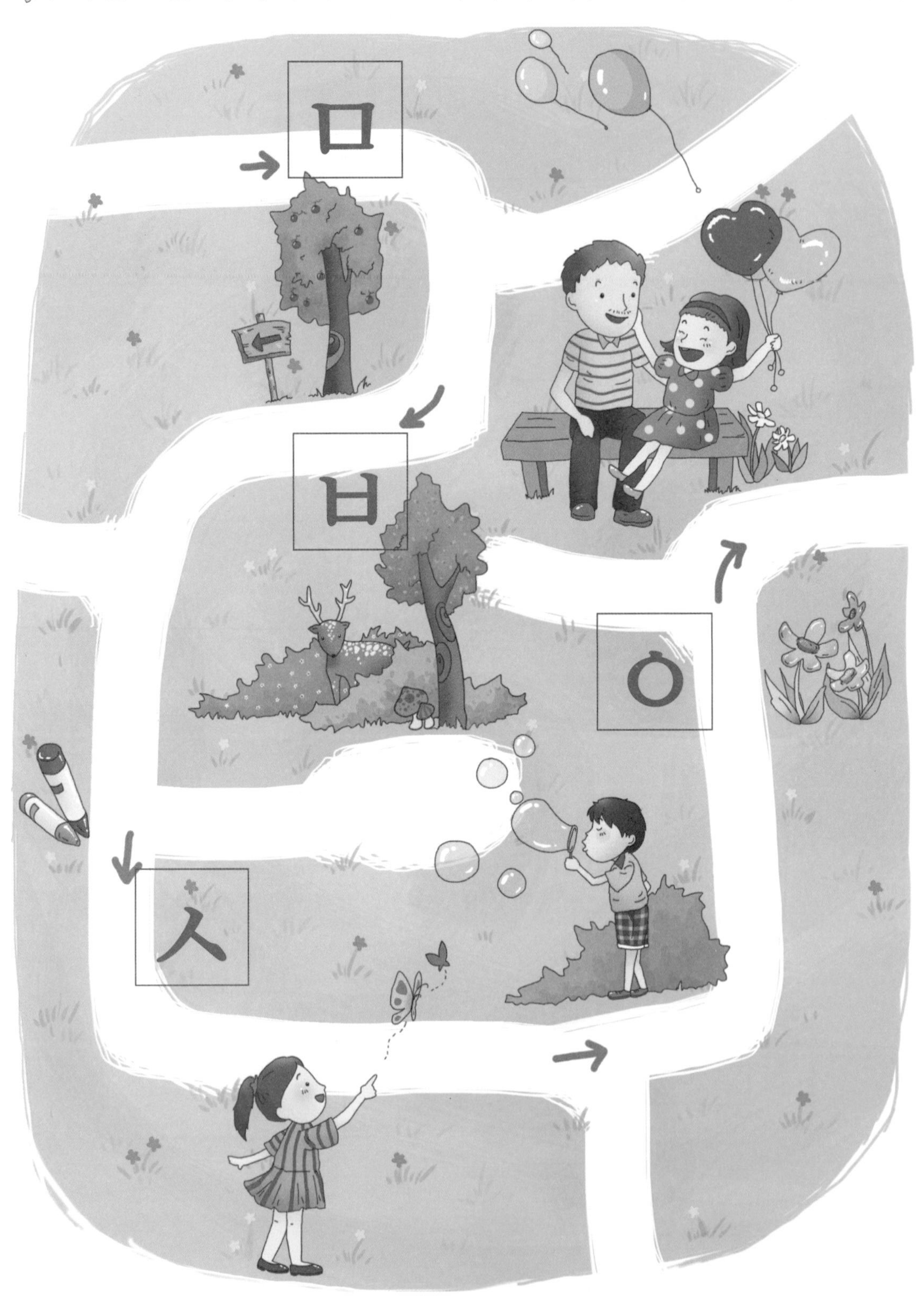

자음 'ㅁ ㅂ ㅅ'을 따라 써 봅시다.

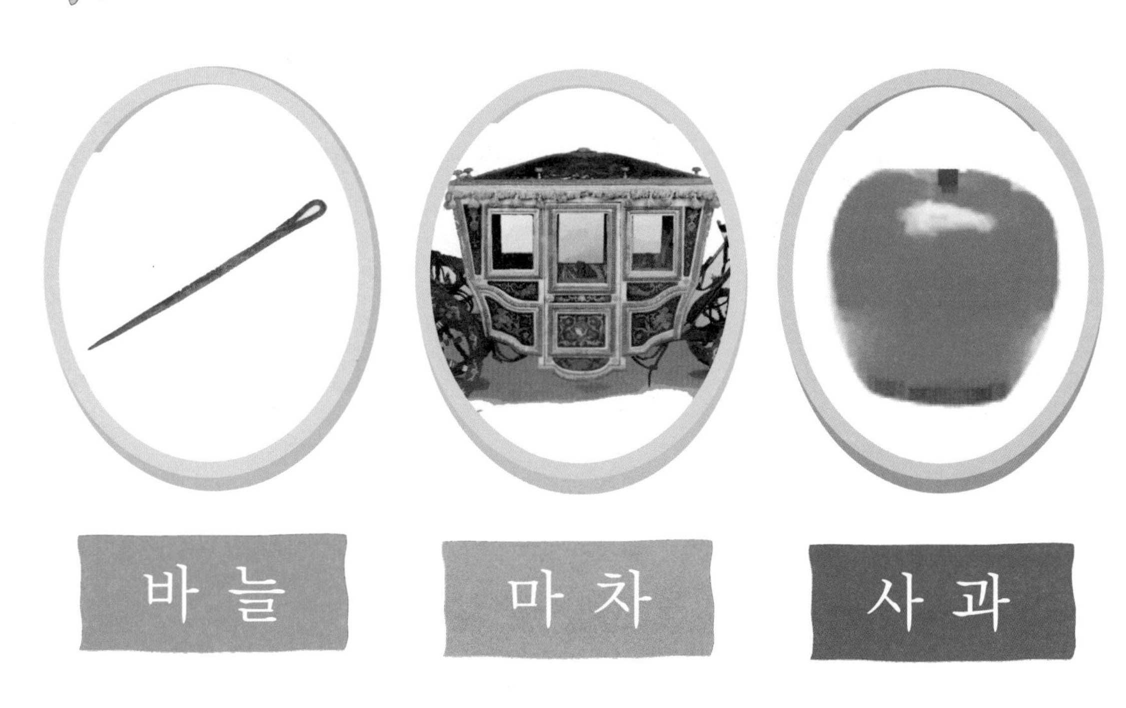

바늘 마차 사과

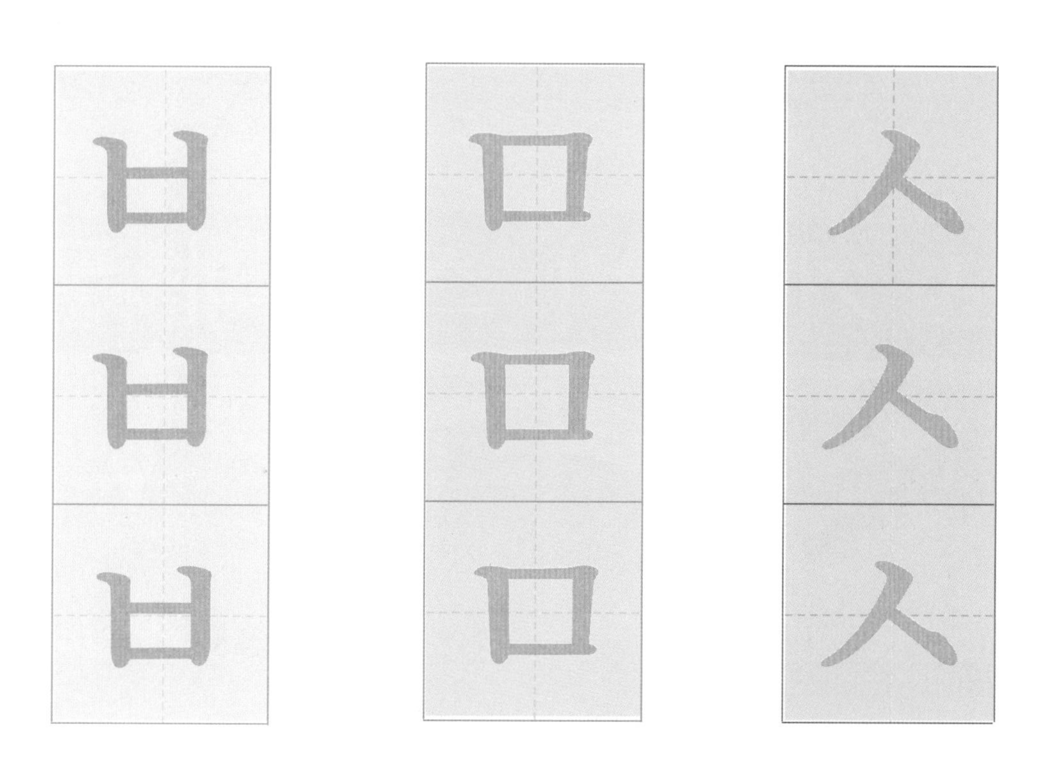

'ㄹ ㅁ ㅂ'이 들어간 글자를 선으로 연결하여 봅시다.

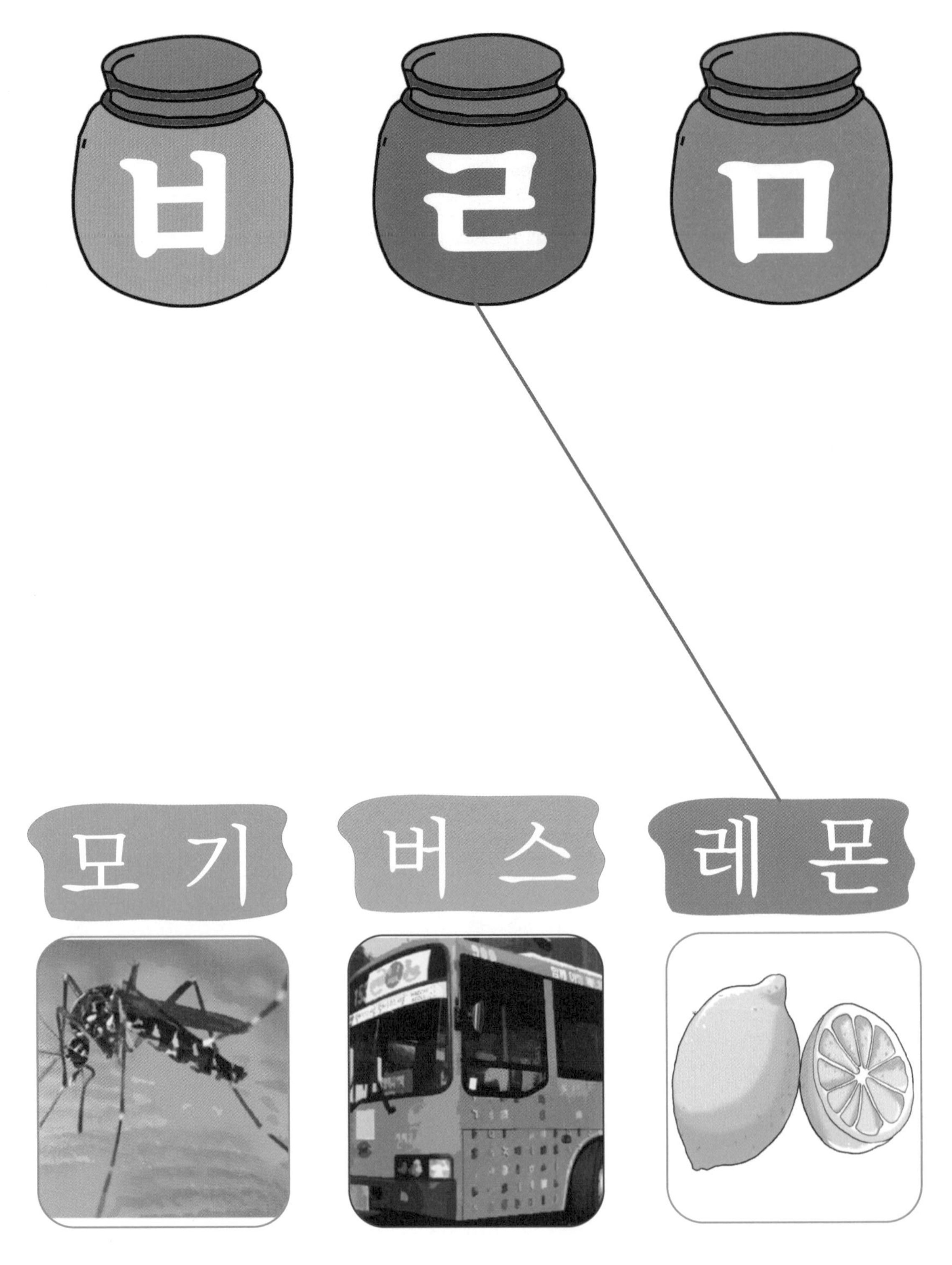

 'ㄹ ㅁ ㅂ'이 들어간 낱말을 예쁘게 따라 써 봅시다.

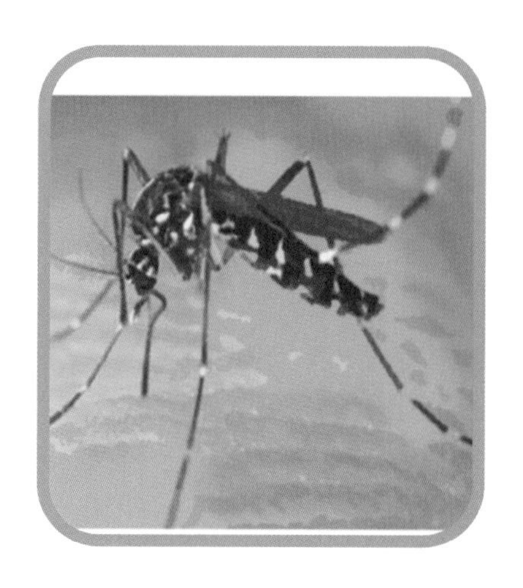

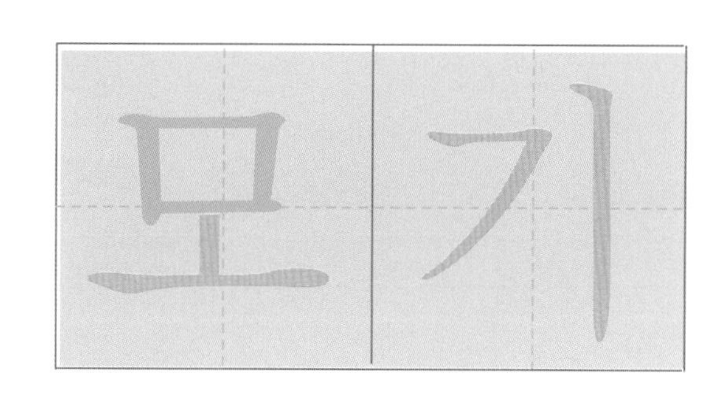

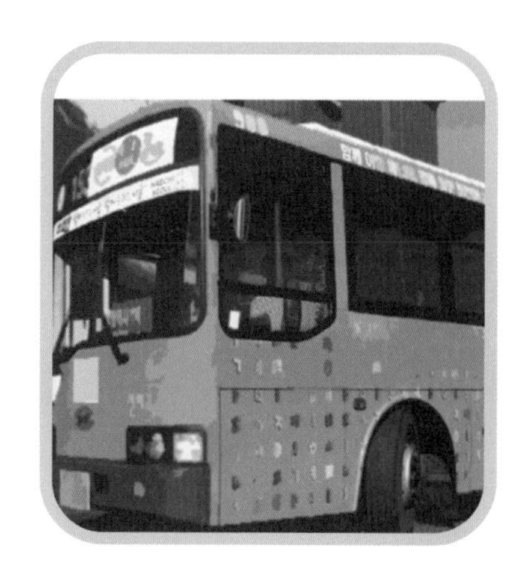

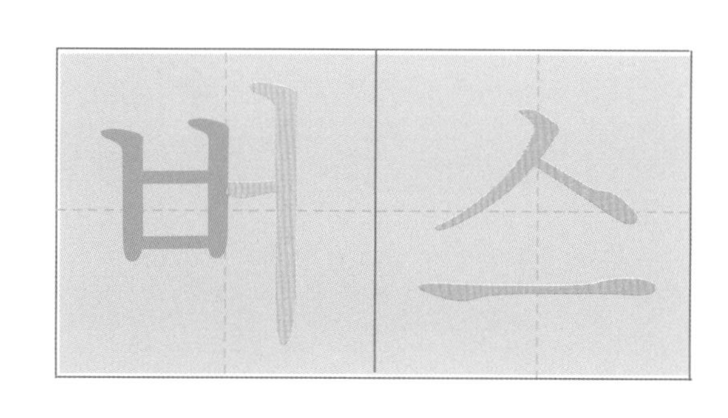

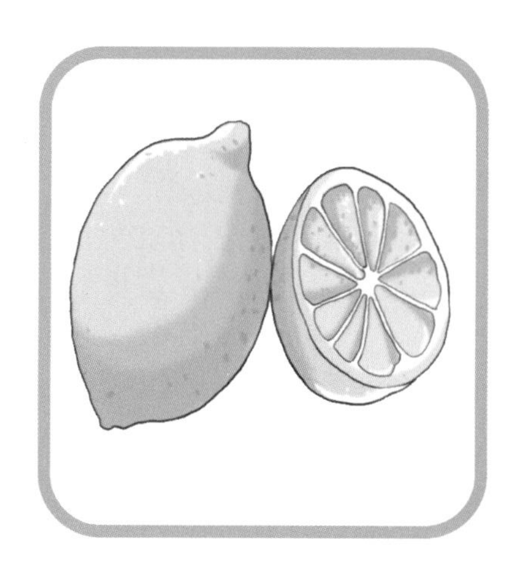

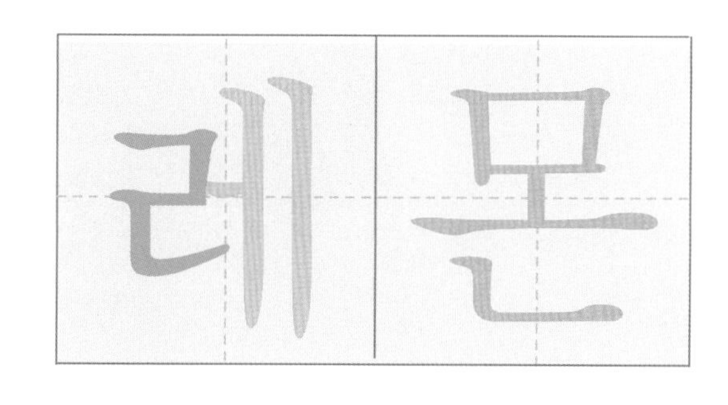

자음 'ㅁ, ㅂ, ㅅ'을 모두 찾아 봅시다.

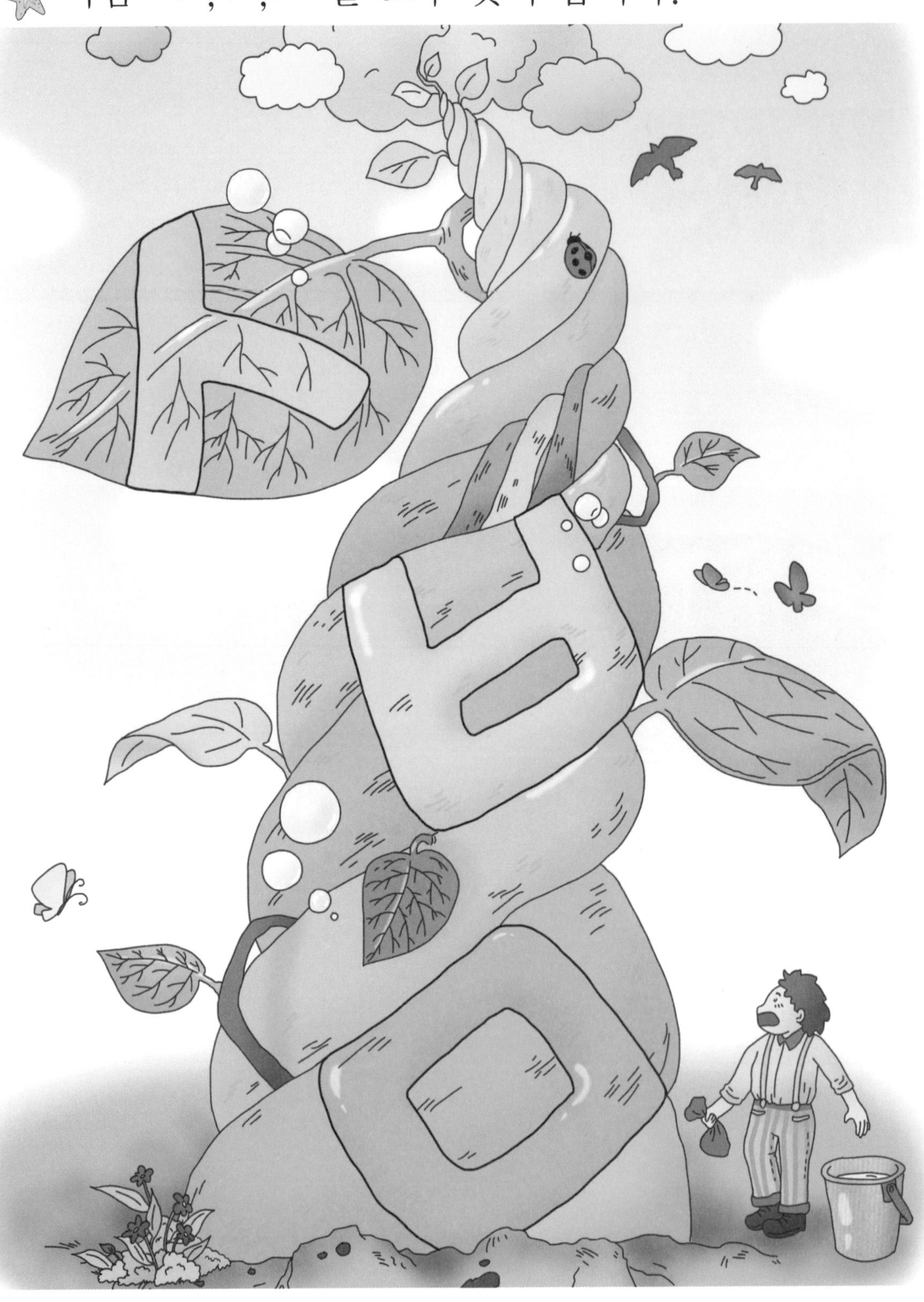

그림을 보고 예쁘게 따라 써 봅시다.

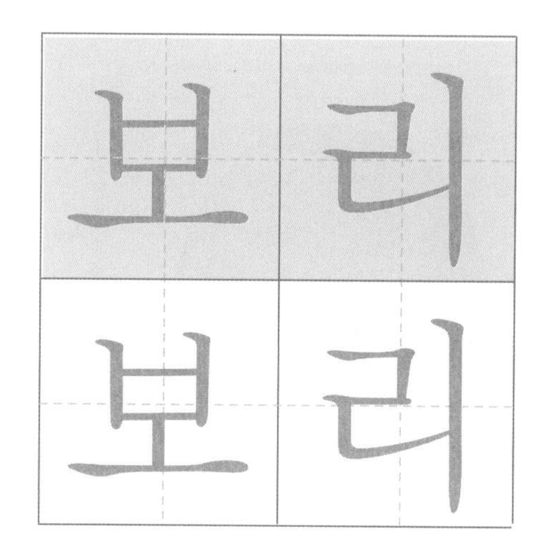

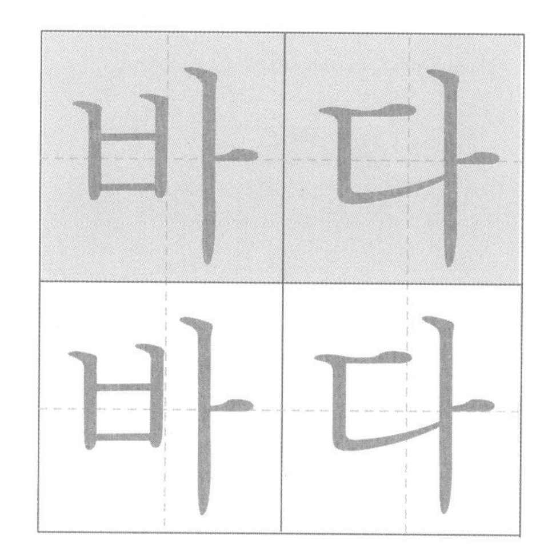

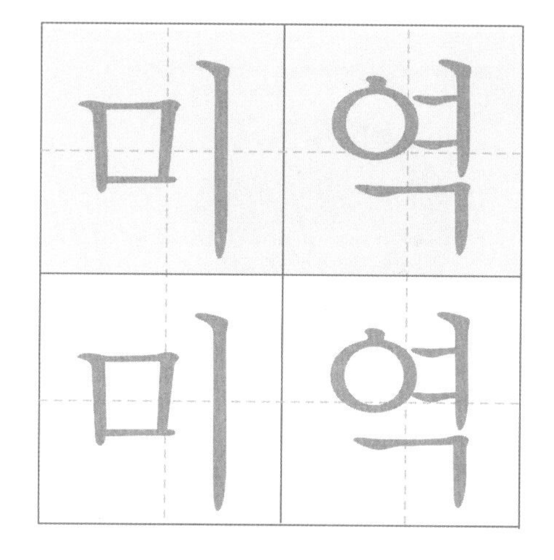

☆서로 알맞은 것끼리 선으로 연결하여 봅시다.

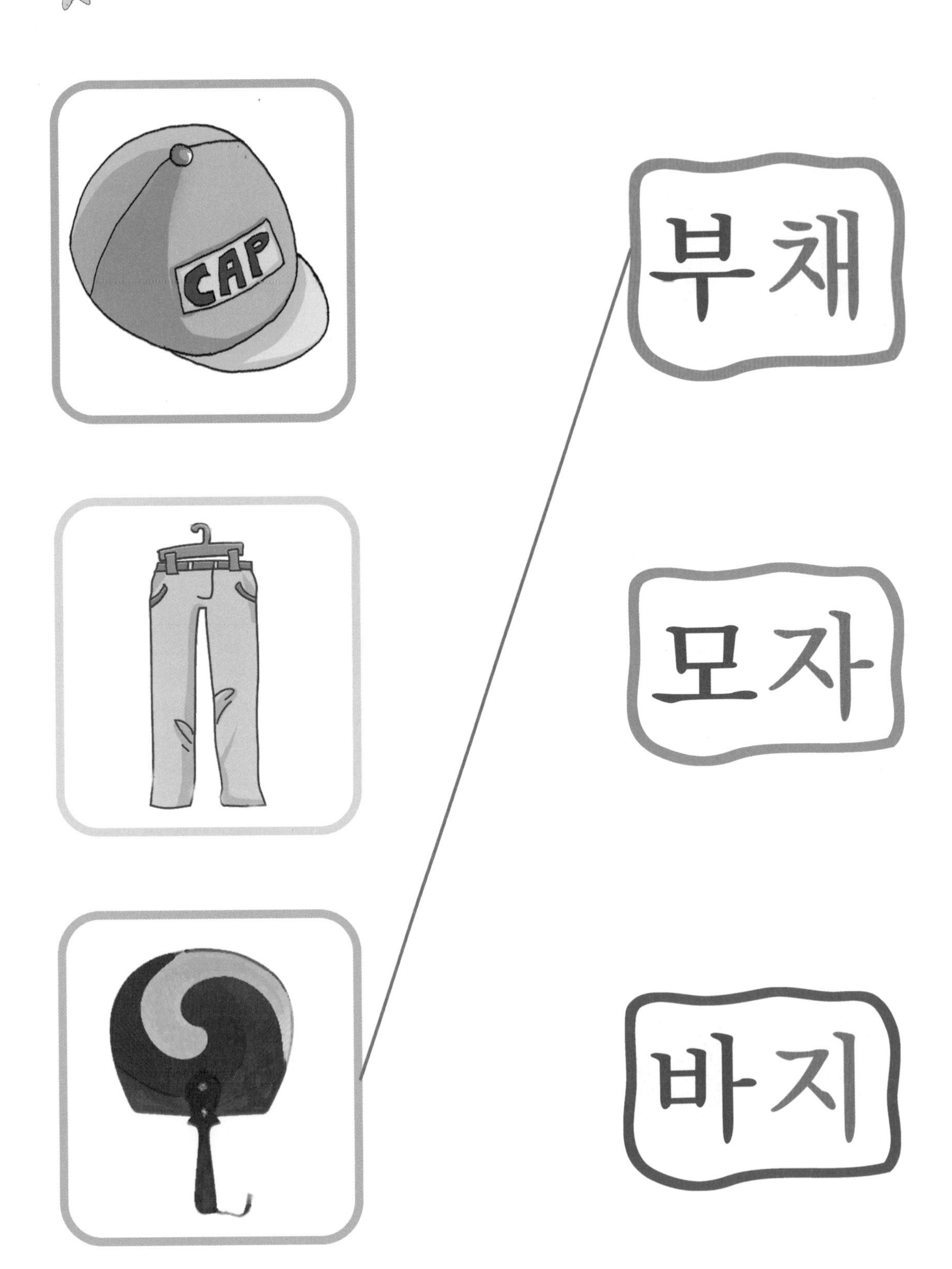

그림을 보고 예쁘게 따라 써 봅시다.

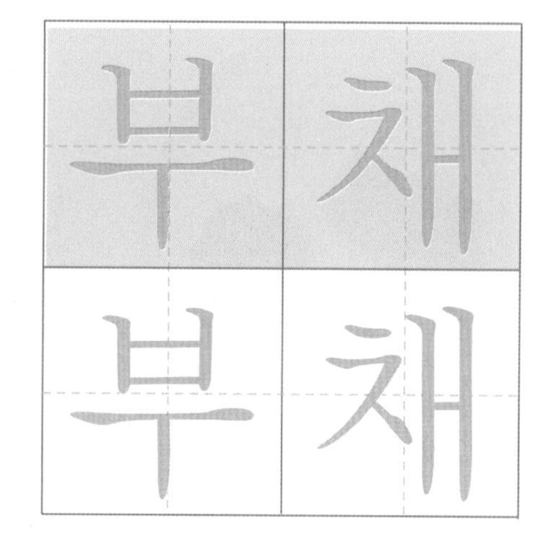

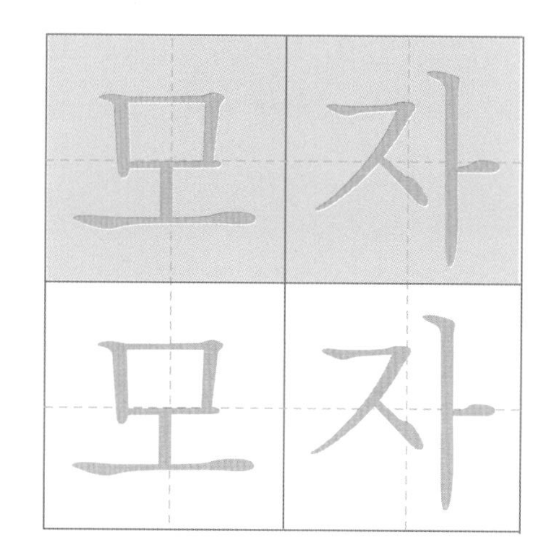

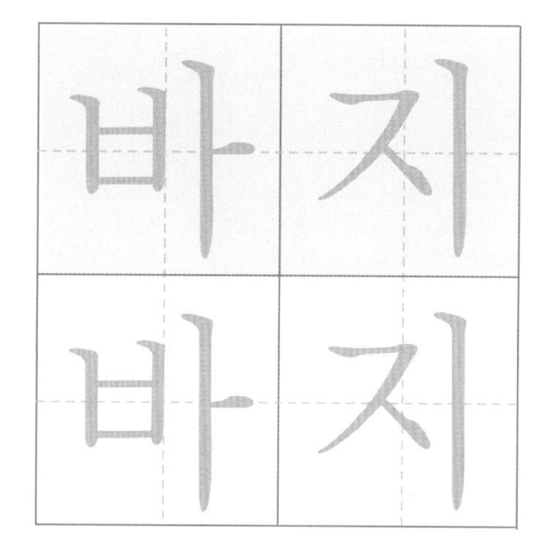

‘ㄹ ㅁ ㅂ’이 들어간 낱말을 예쁘게 따라 써 봅시다.

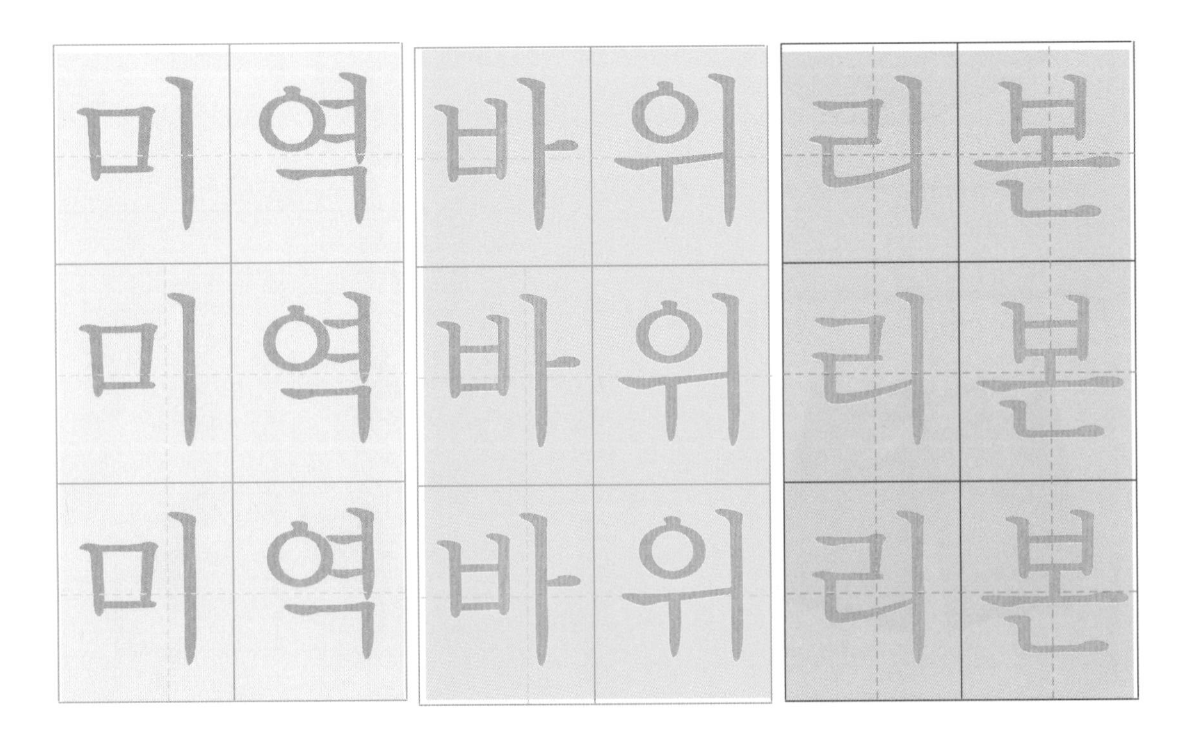

그림을 보며 예쁘게 따라 써 봅시다.

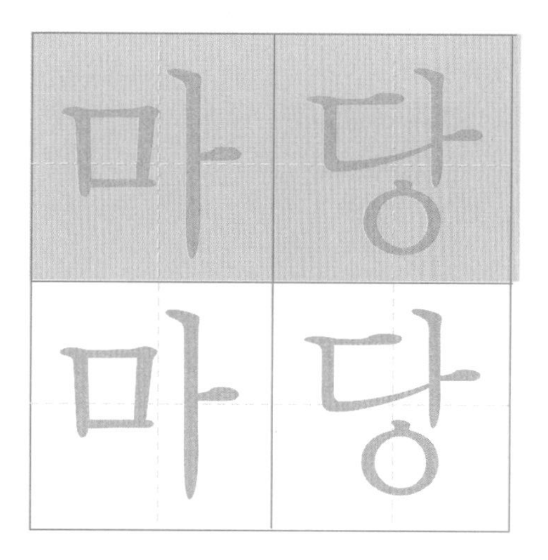

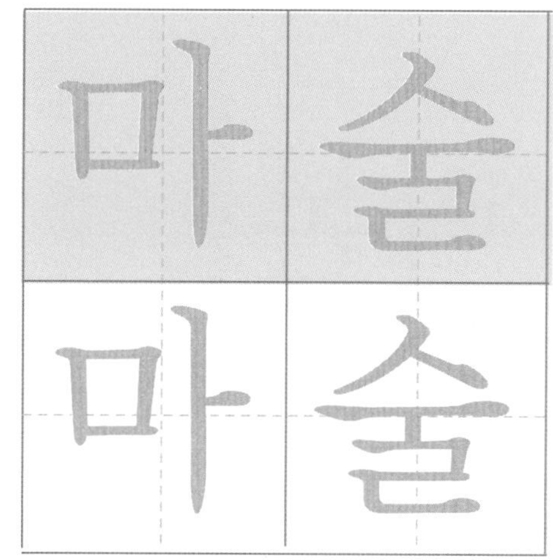

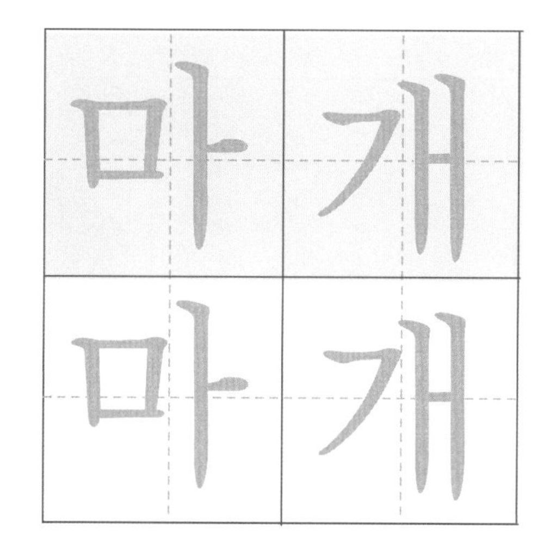

알맞은 것끼리 선으로 연결하여 봅시다.

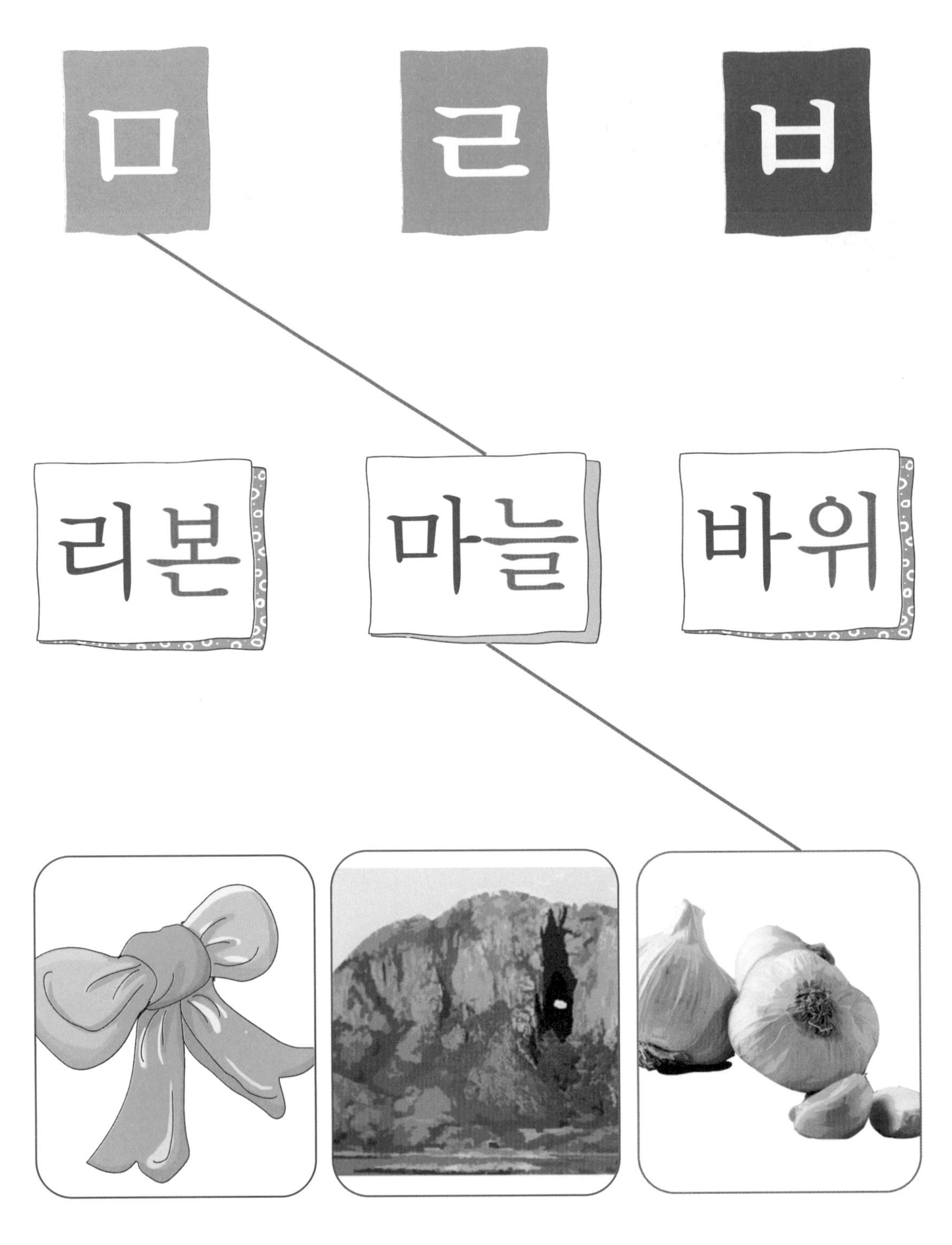

자음 'ㄹ ㅁ ㅂ'을 예쁘게 써 봅시다.

ㄹ	ㄹ	ㄹ	ㄹ	ㄹ
ㄹ	ㄹ	ㄹ	ㄹ	ㄹ

ㅁ	ㅁ	ㅁ	ㅁ	ㅁ
ㅁ	ㅁ	ㅁ	ㅁ	ㅁ

ㅂ	ㅂ	ㅂ	ㅂ	ㅂ
ㅂ	ㅂ	ㅂ	ㅂ	ㅂ

'ㅁ'이 들어간 낱말에 ㅇ표를 해 봅시다.

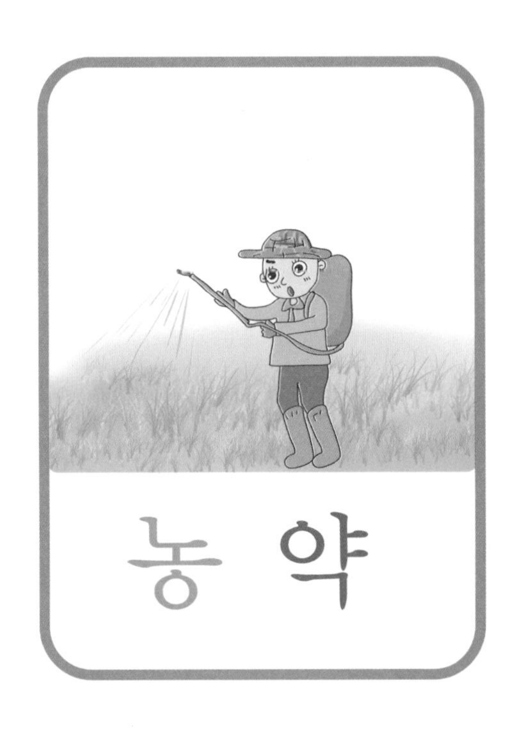

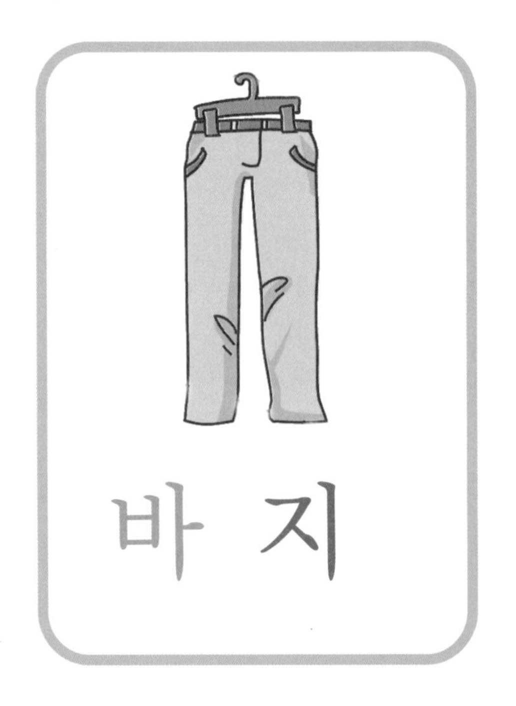

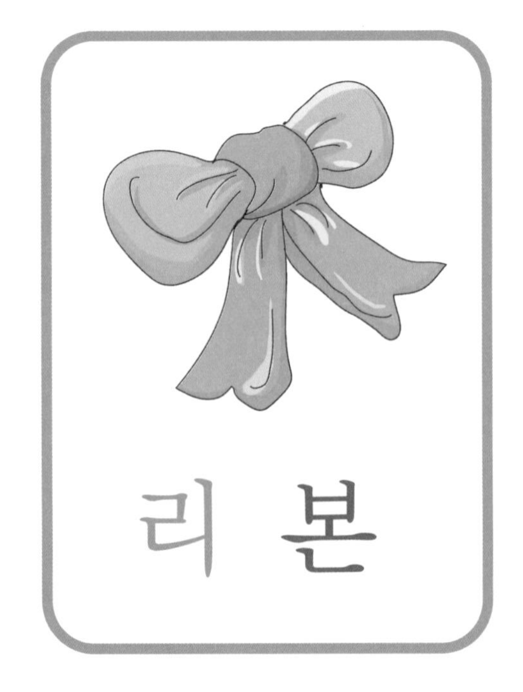

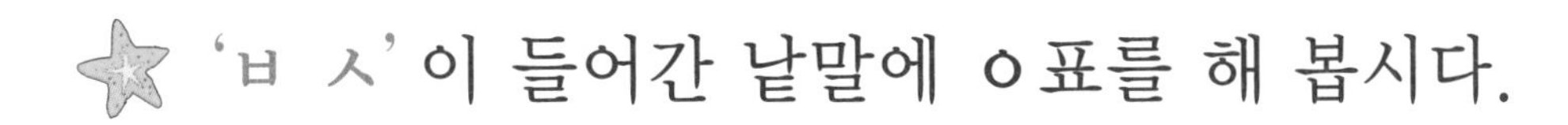

'ㅂ ㅅ' 이 들어간 낱말에 ○표를 해 봅시다.

색연필로 빈칸에 ㅅ을 예쁘게 써 봅시다.

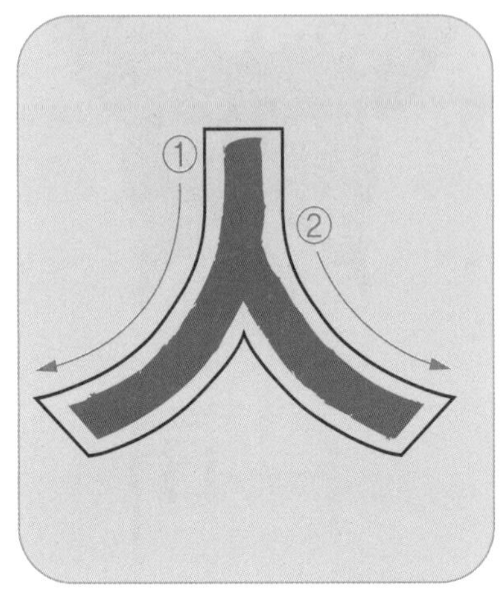

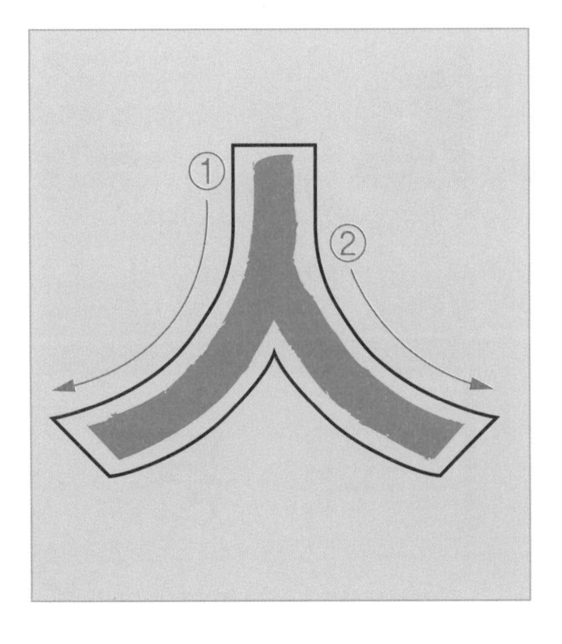

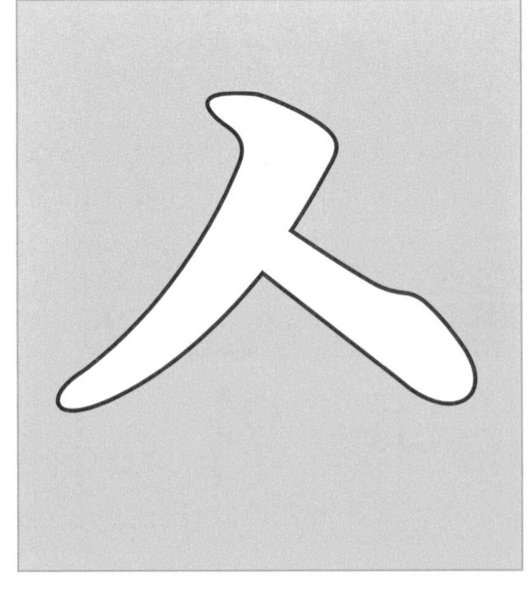

색연필로 빈칸에 ㅅ을 예쁘게 써 봅시다.

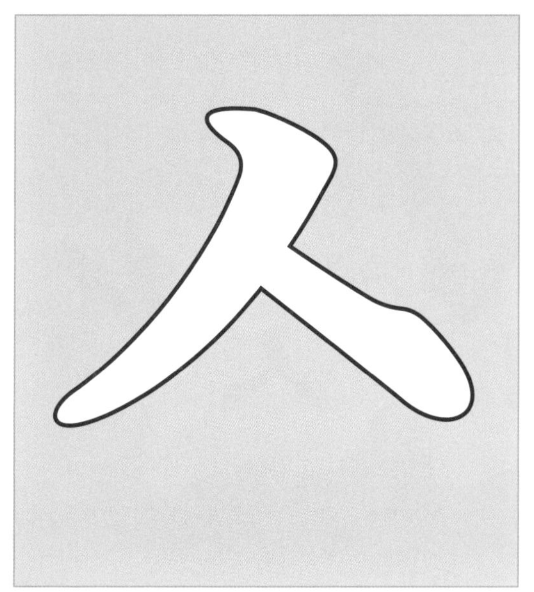

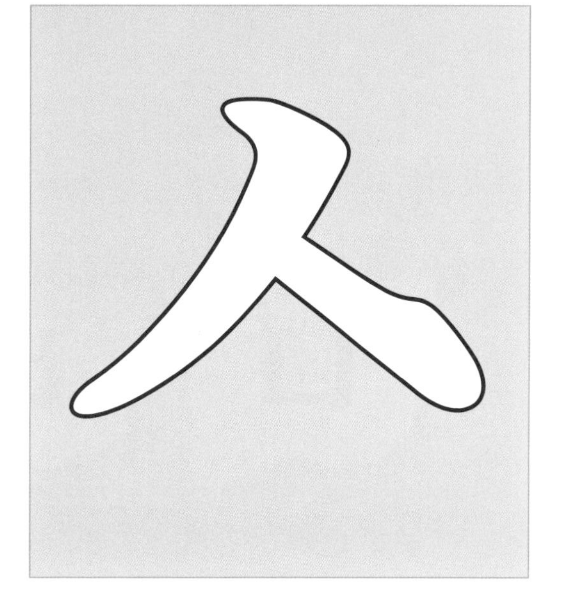

아래 자음자와 관계 있는 그림을 찾아 봅시다.

자음 'ㅁ ㅂ ㅅ'을 따라 써 봅시다.

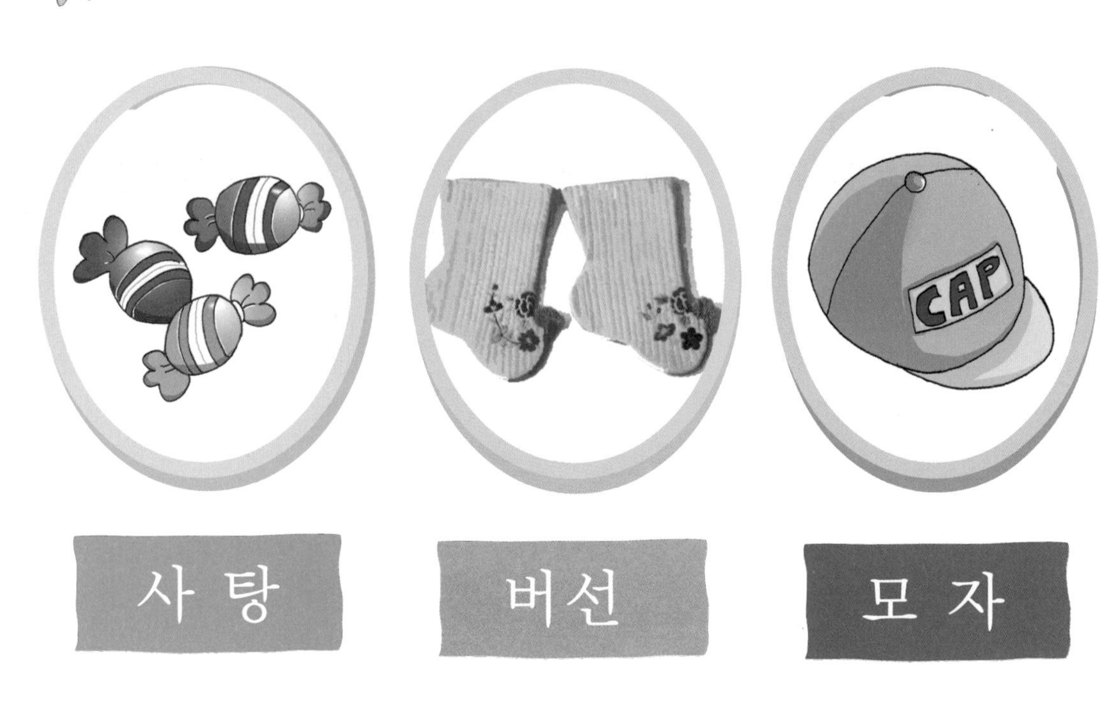

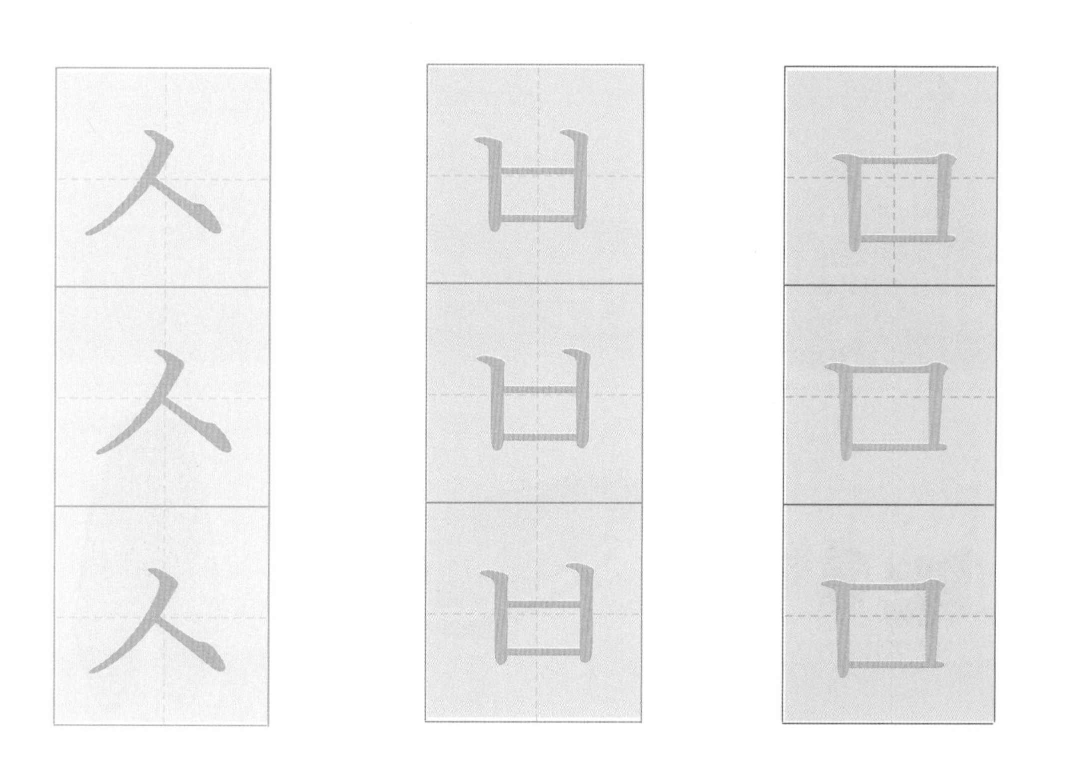

'ㅁ ㅂ ㅅ'이 들어간 글자를 선으로 연결하여 봅시다.

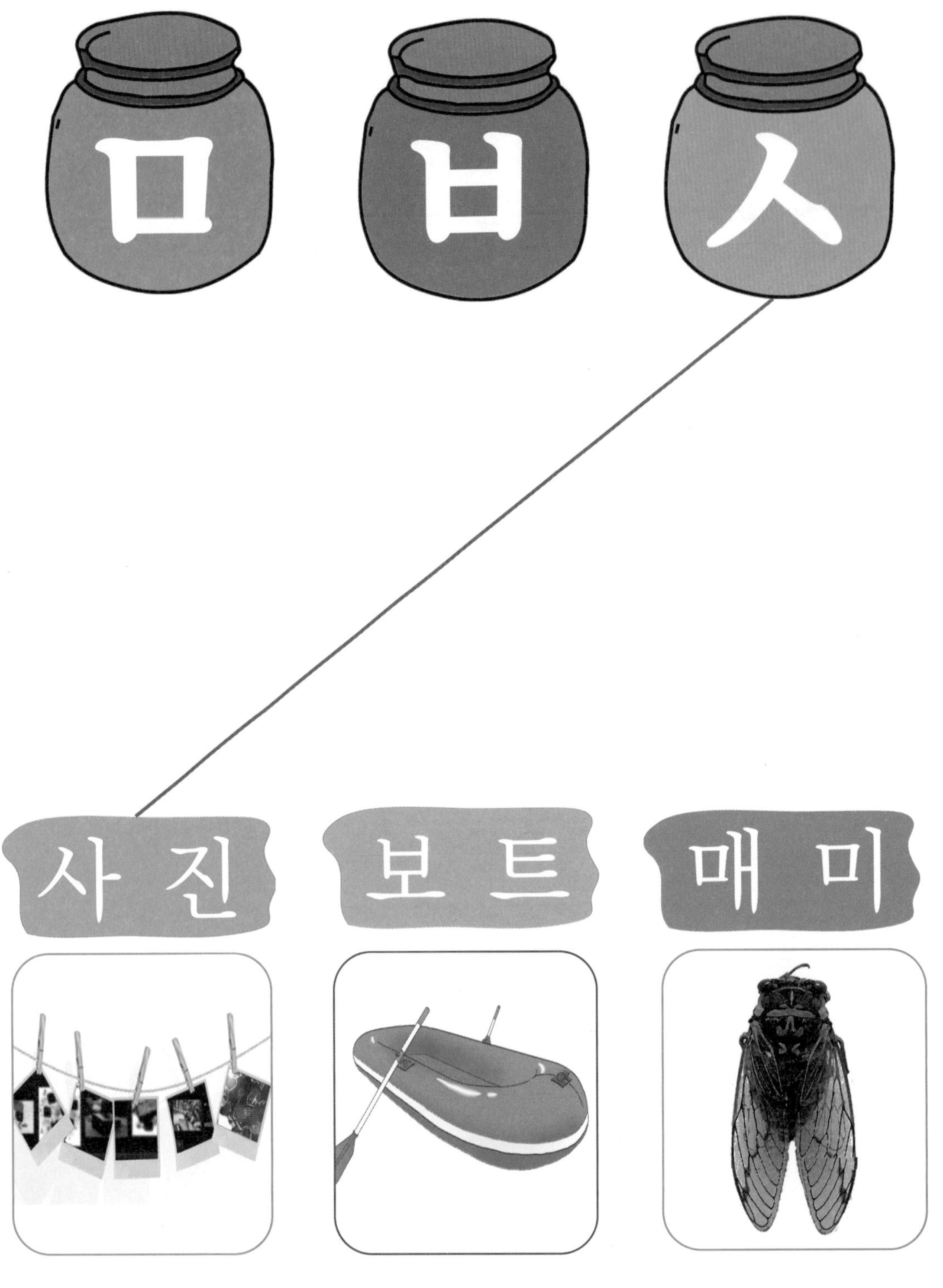

☆ 'ㅁ ㅂ ㅅ' 이 들어간 낱말을 예쁘게 따라 써 봅시다.

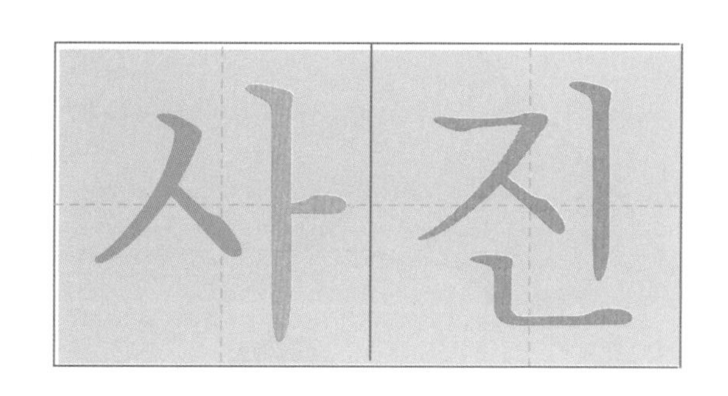

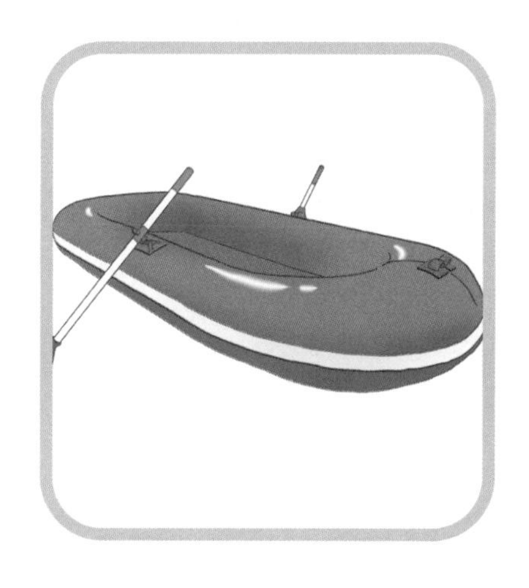

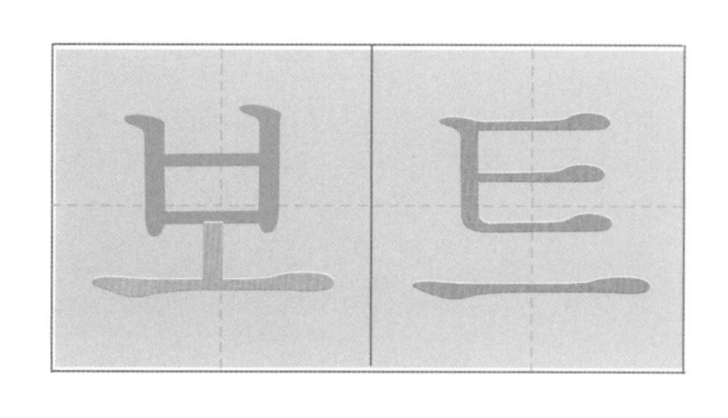

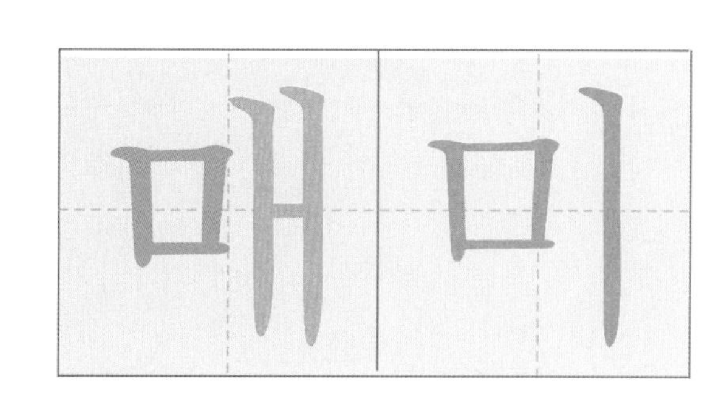

자음 'ㅂ, ㅅ, ㅇ'을 모두 찾아 봅시다.

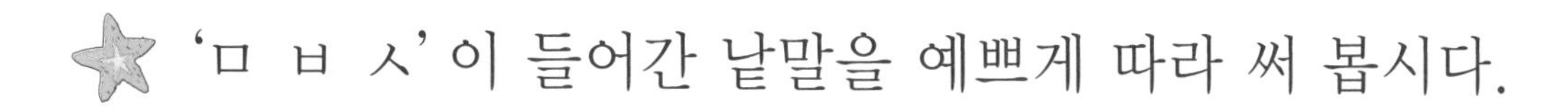

'ㅁ ㅂ ㅅ'이 들어간 낱말을 예쁘게 따라 써 봅시다.

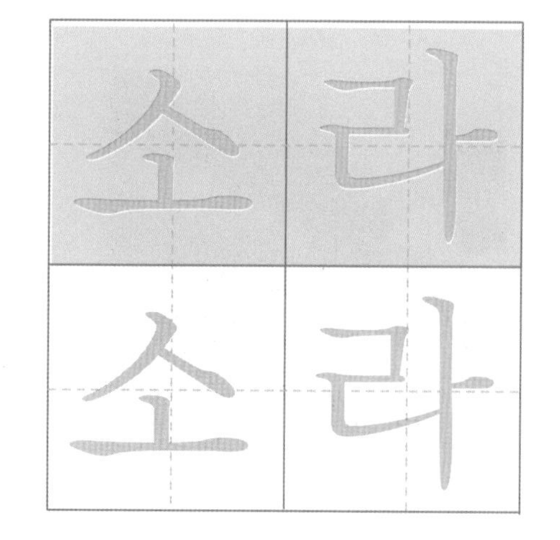

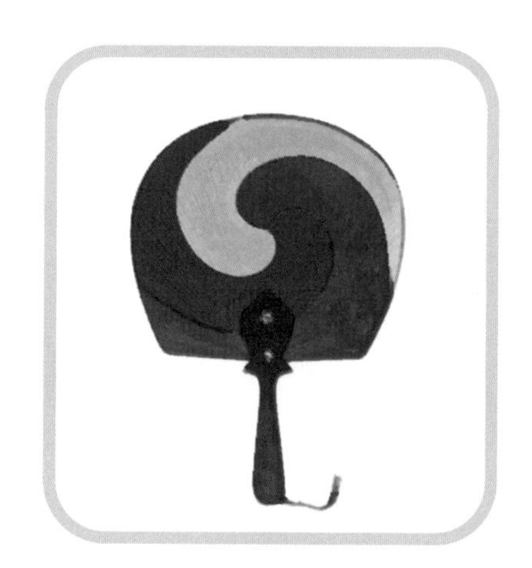

서로 알맞은 것끼리 선으로 연결하여 봅시다.

그림을 보고 예쁘게 따라 써 봅시다.

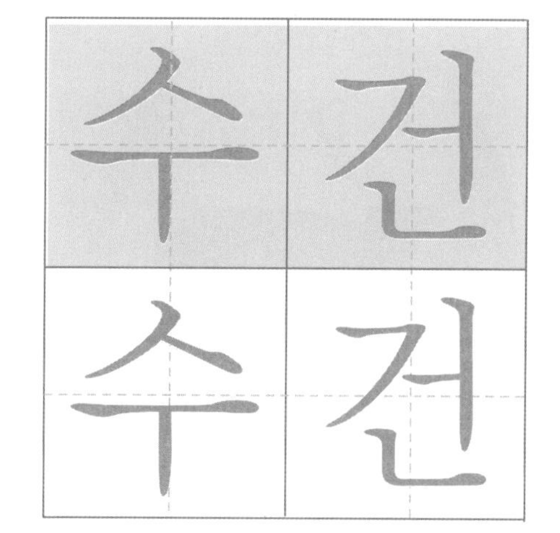

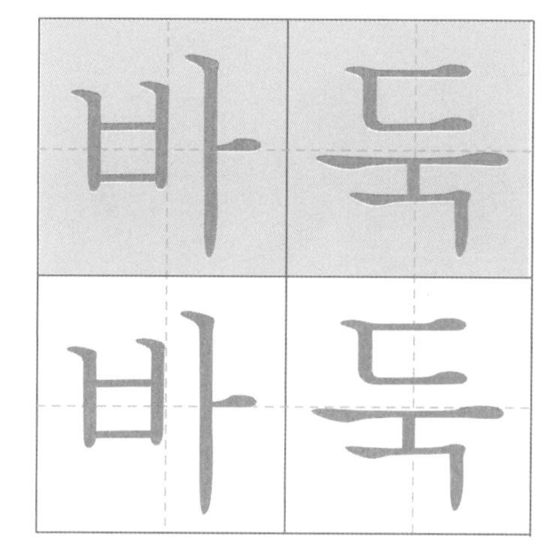

아	침
아	침

★서로 알맞은 것끼리 선으로 연결하여 봅시다.

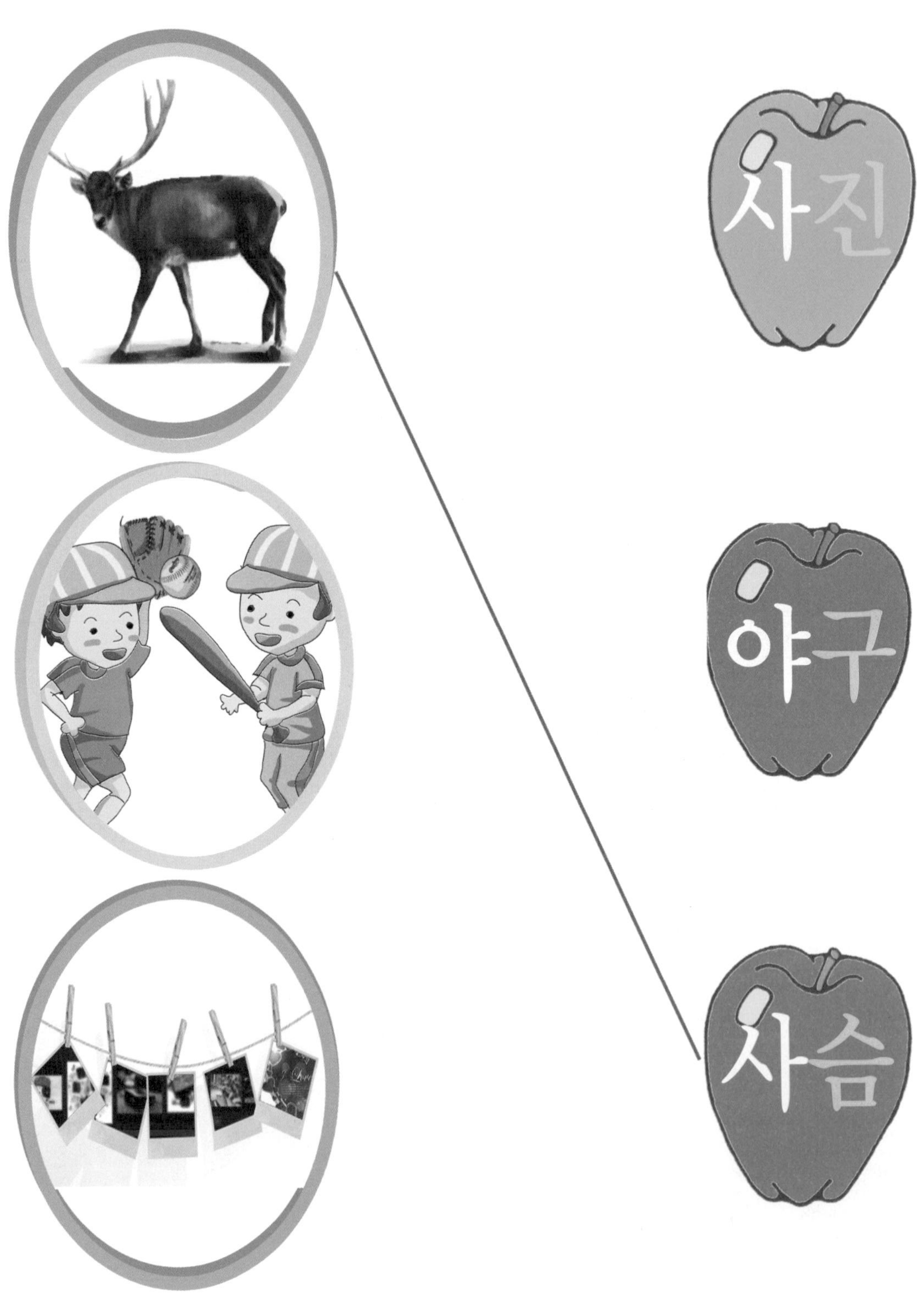

☆ 'ㅂ ㅅ ㅇ'이 들어간 낱말을 예쁘게 따라 써 봅시다.

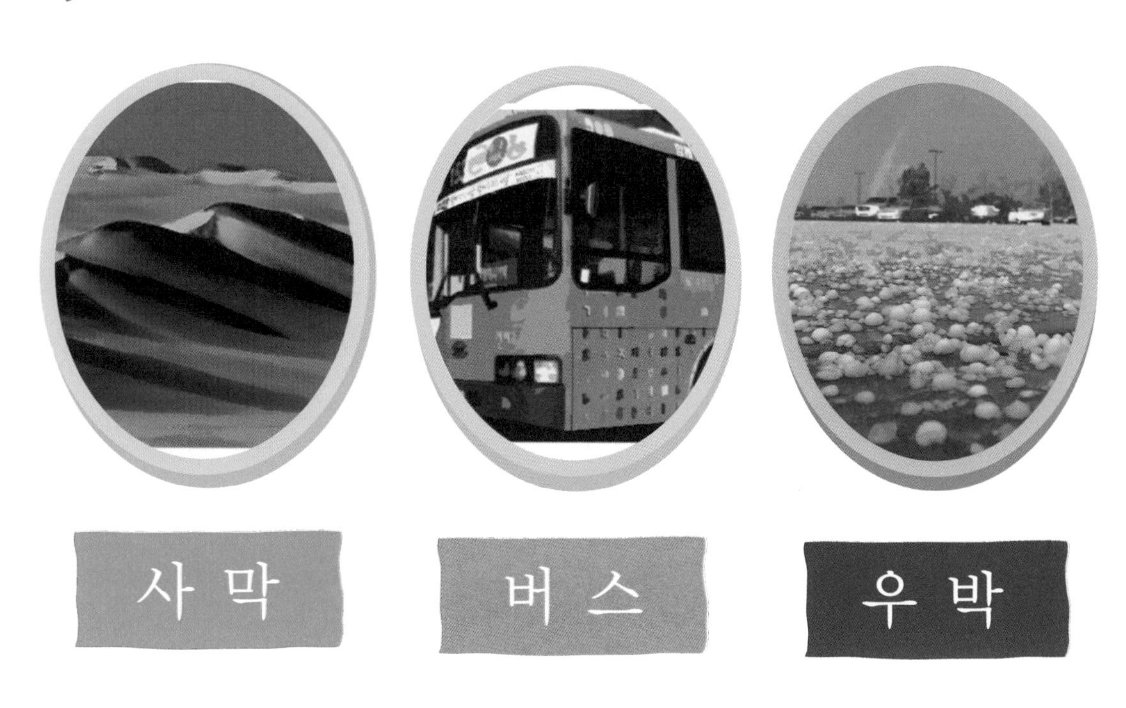

사	막	버	스	우	박
사	막	버	스	우	박
사	막	버	스	우	박

그림을 보며 예쁘게 따라 써 봅시다.

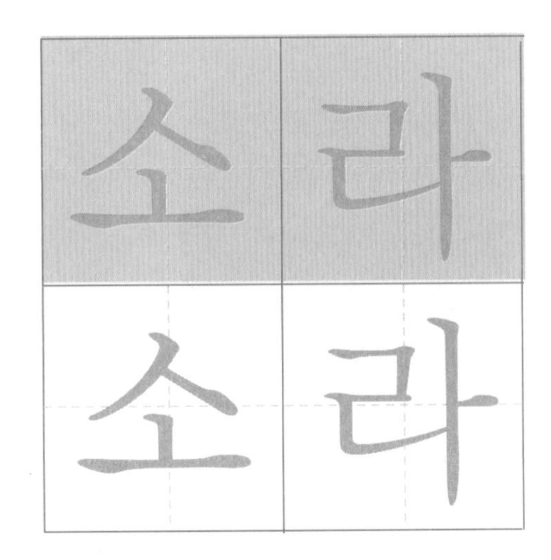

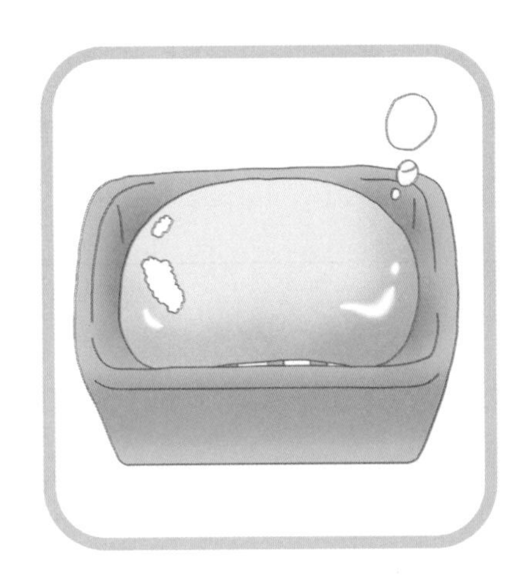

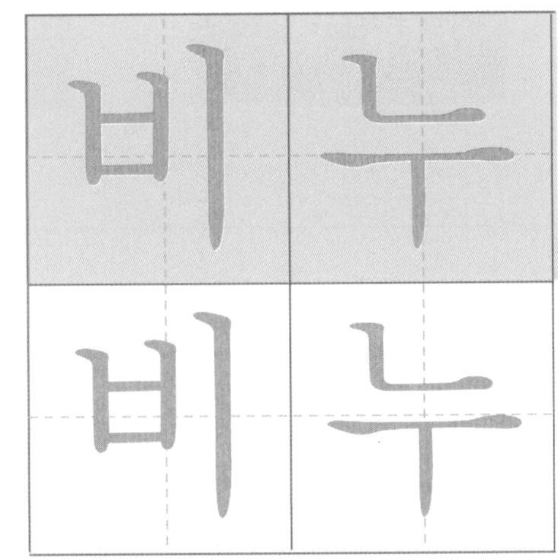

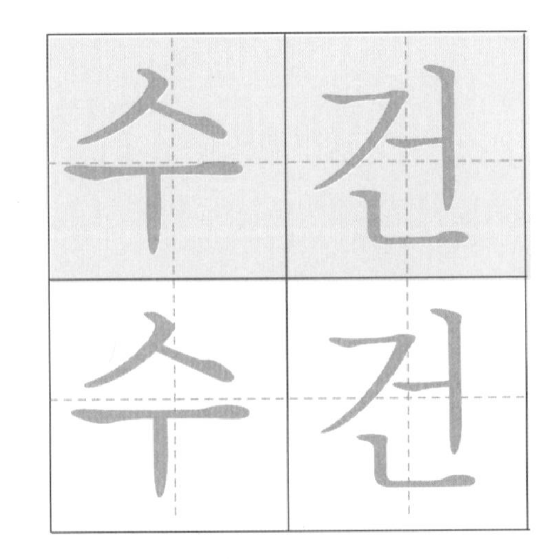

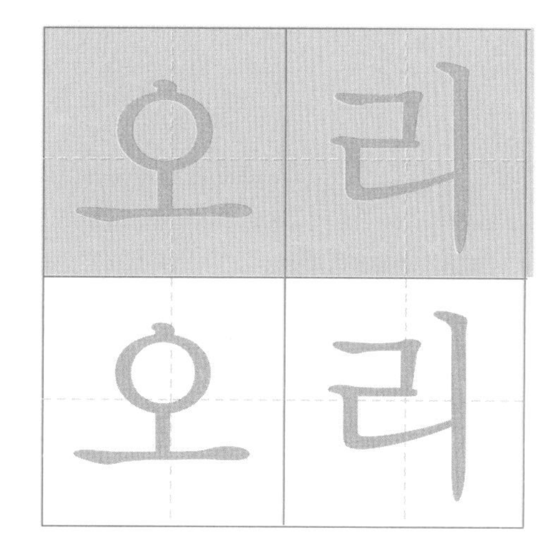
오리
오리

산불
산불

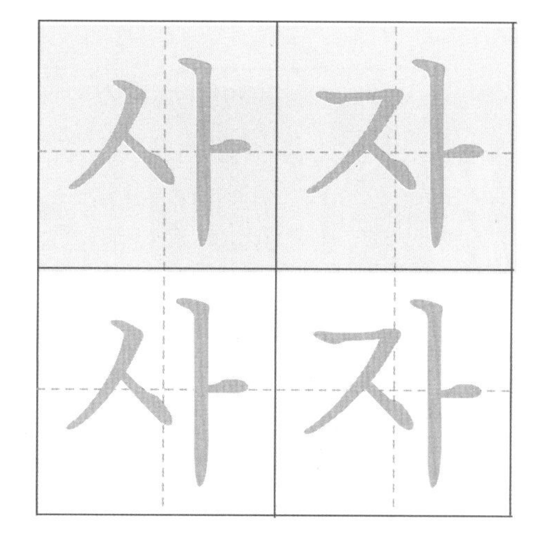
사자
사자

☆ 알맞은 것끼리 선으로 연결하여 봅시다.

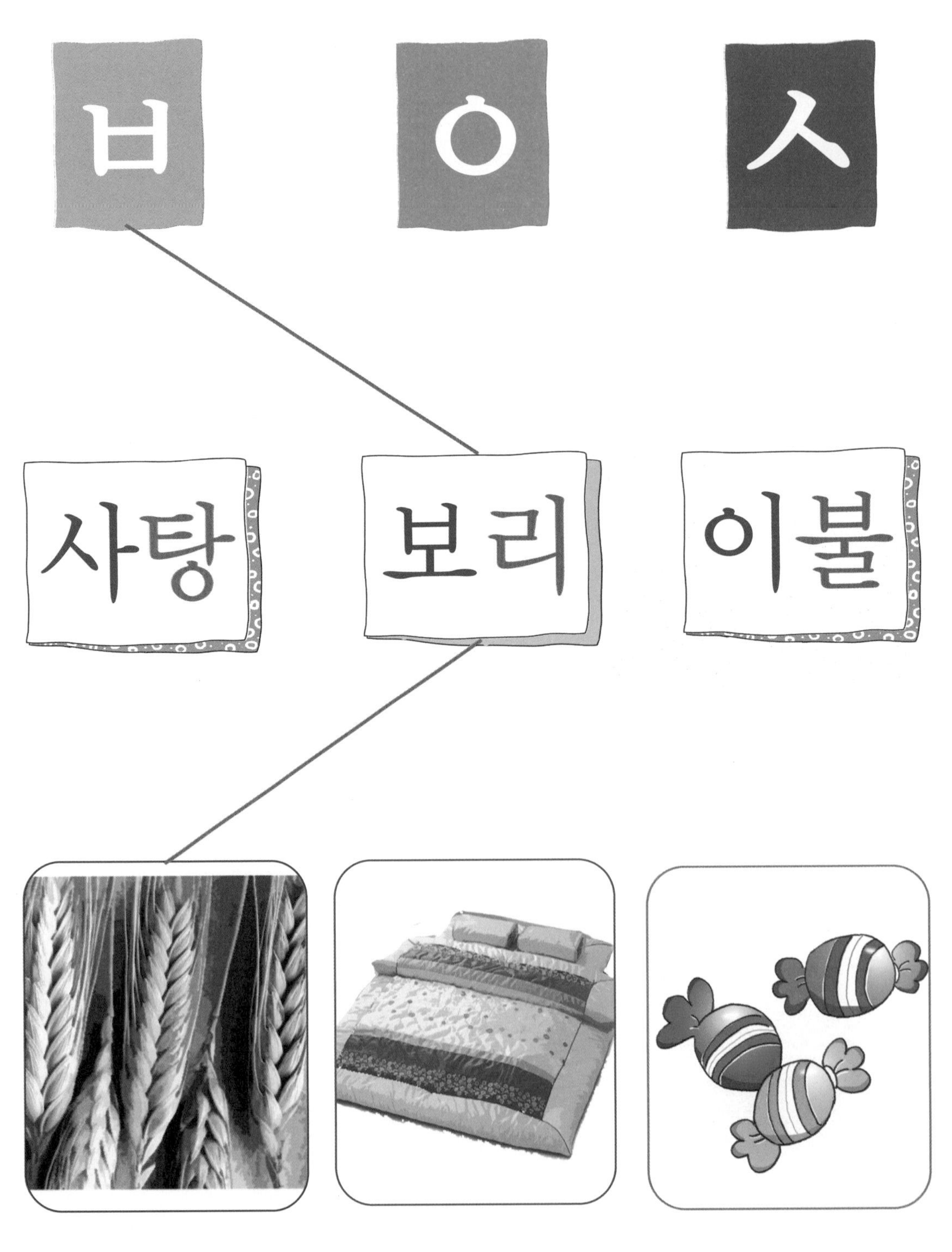

☆ 그림을 보고 예쁘게 따라 써 봅시다.

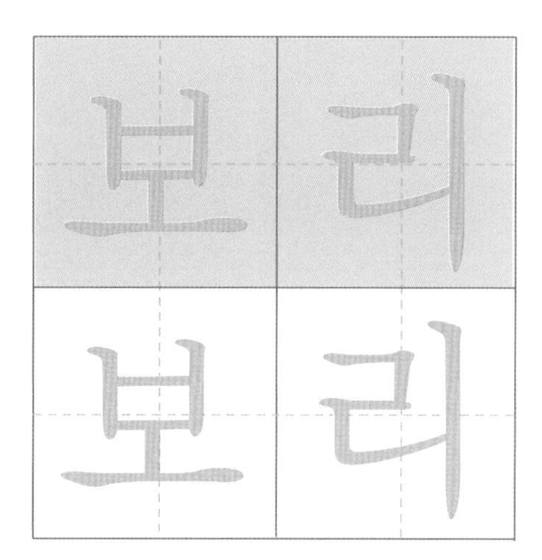

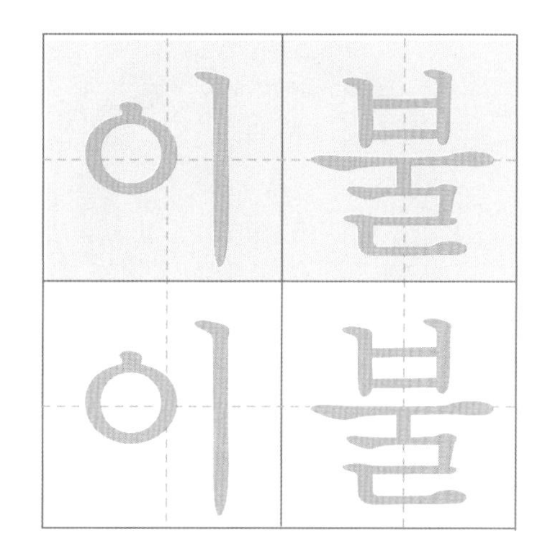

색연필로 빈칸에 ㅇ을 예쁘게 써 봅시다.

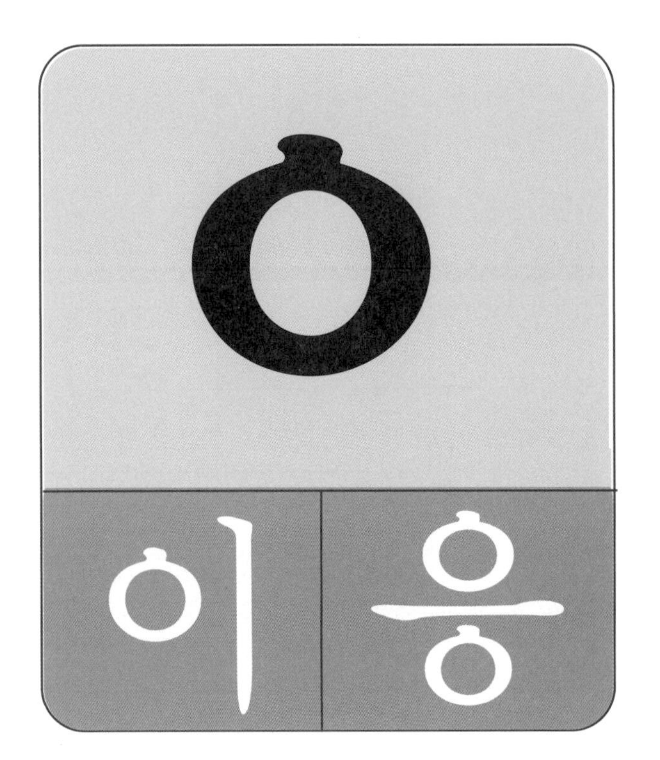

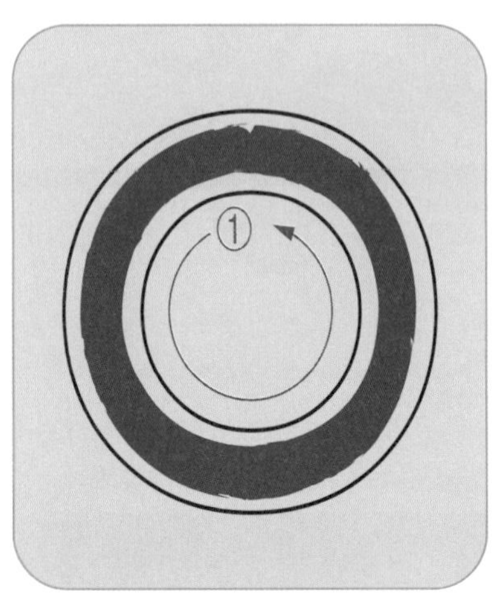

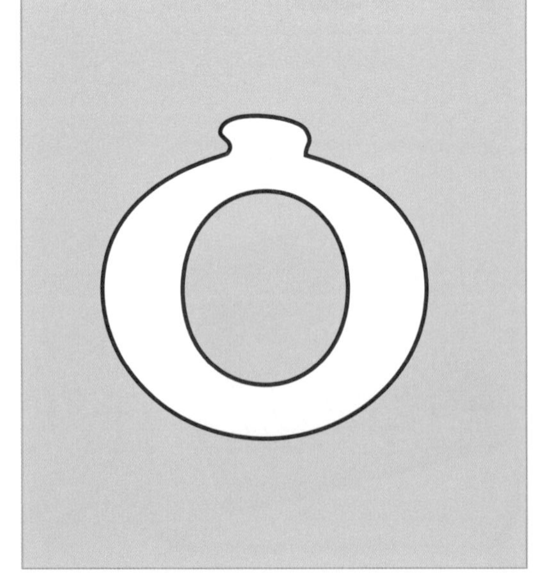

색연필로 빈칸에 ㅇ을 예쁘게 써 봅시다.

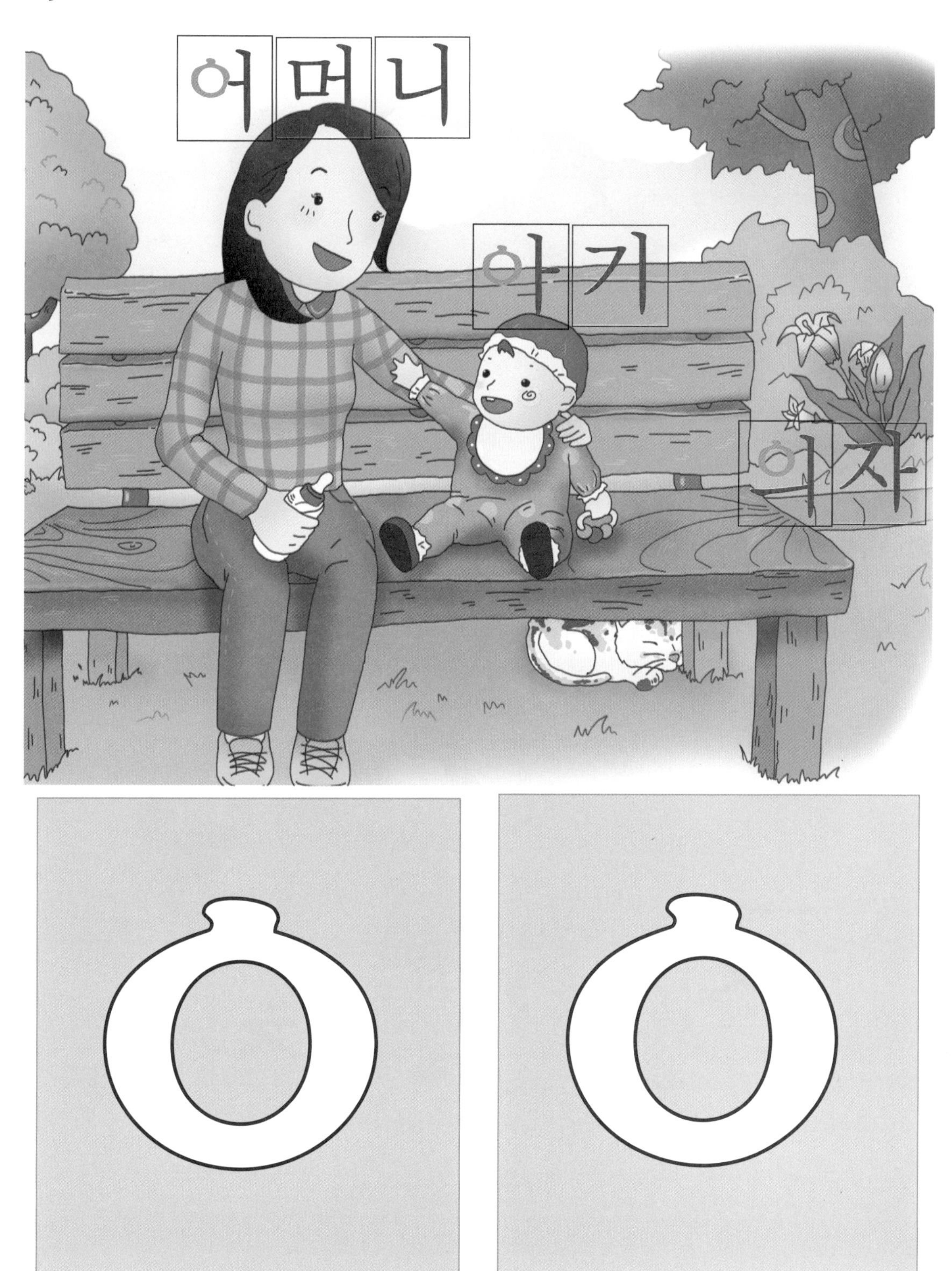

ㅅ~ㅊ까지 자음을 따라가며 순서를 알아 봅시다.

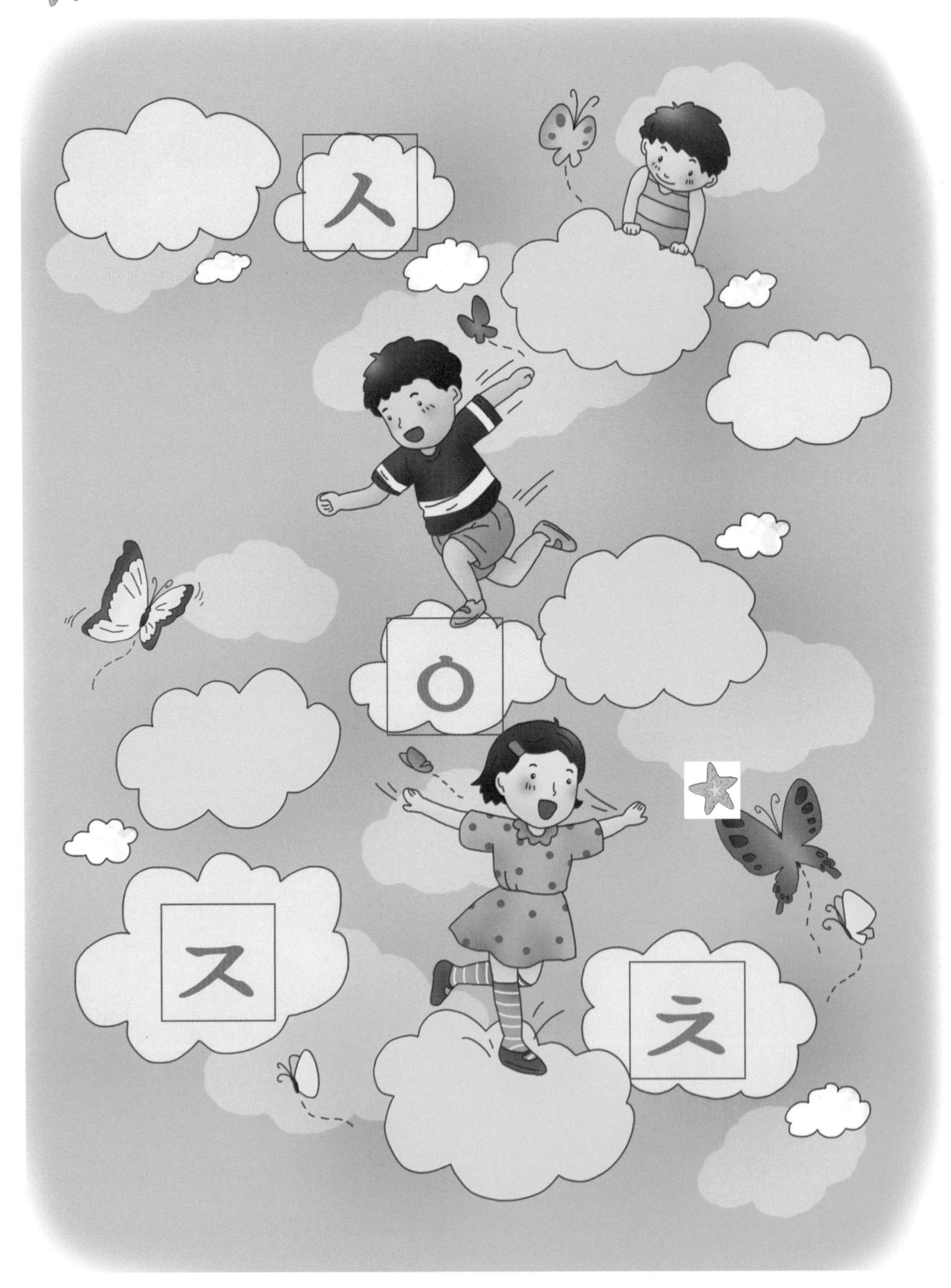

자음 'ㅅ ㅇ ㅈ'을 따라 써 봅시다.

'ㅅ ㅇ ㅈ'이 들어간 글자를 선으로 연결하여 봅시다.

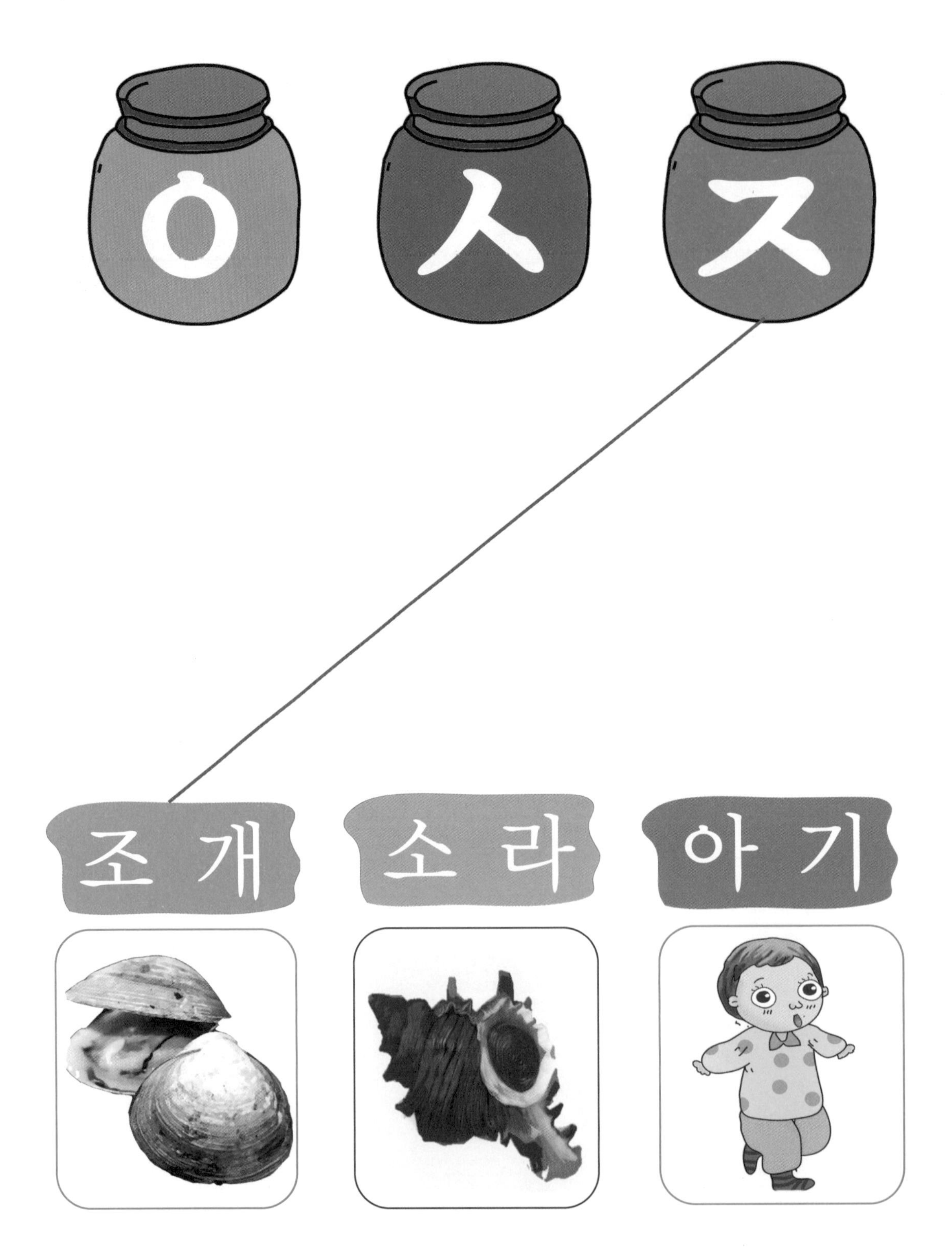

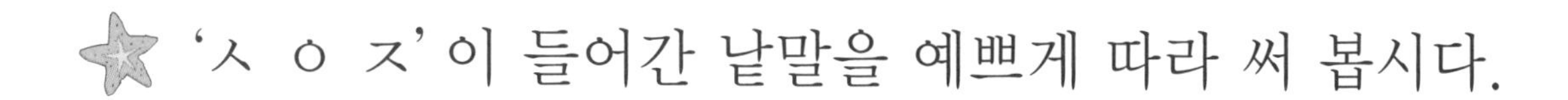

'ㅅ ㅇ ㅈ'이 들어간 낱말을 예쁘게 따라 써 봅시다.

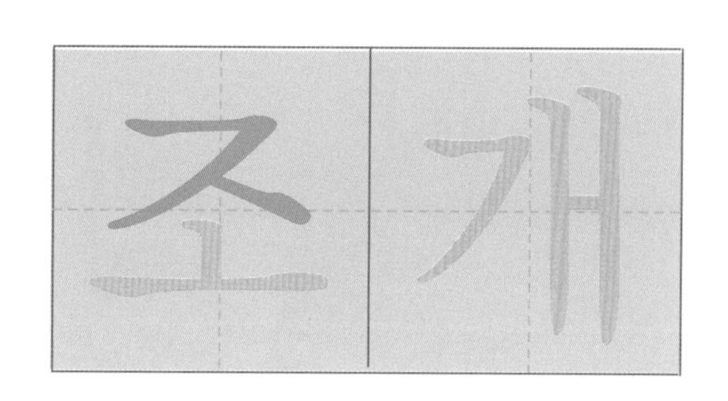

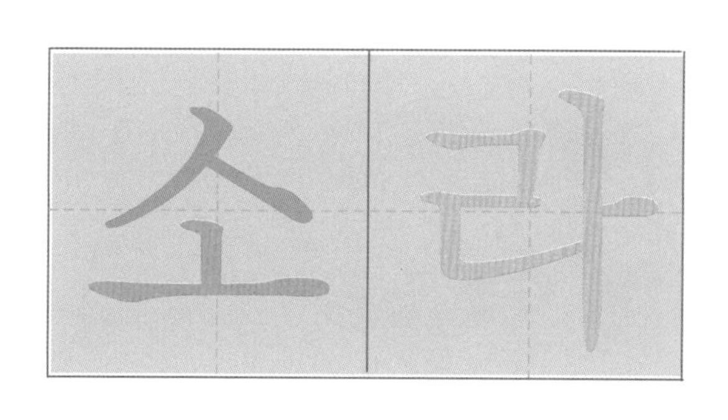

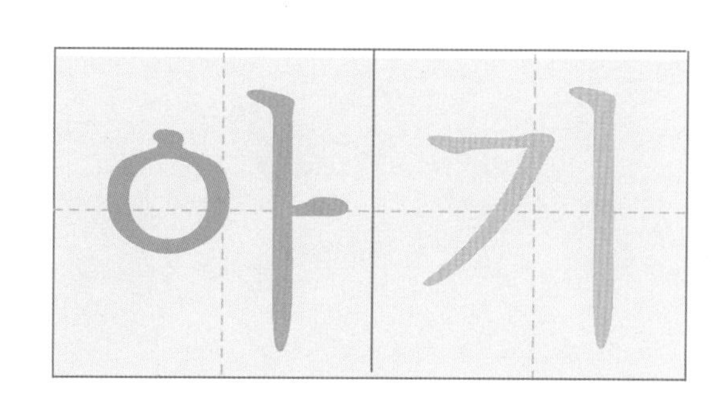

☆ 자음 'ㅅ, ㅇ, ㅈ'을 모두 찾아 봅시다.

그림을 보고 예쁘게 따라 써 봅시다.

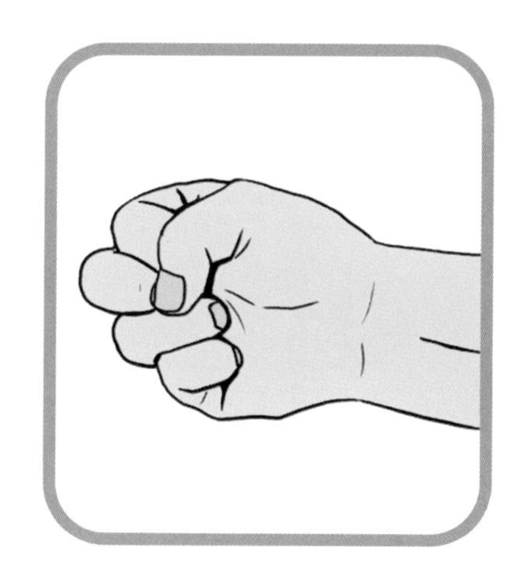

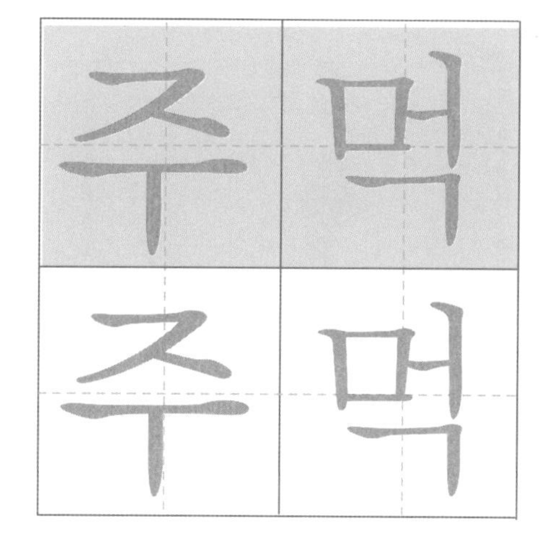

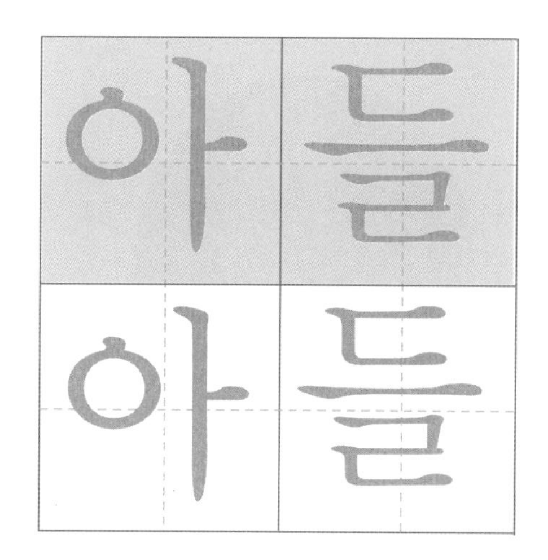

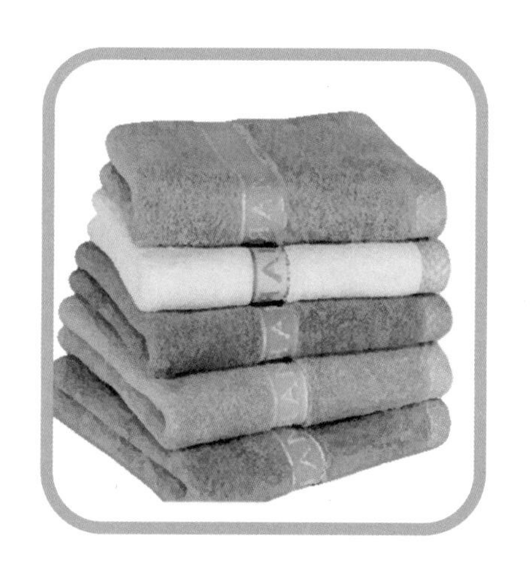

수	건
수	건

서로 알맞은 것끼리 선으로 연결하여 봅시다.

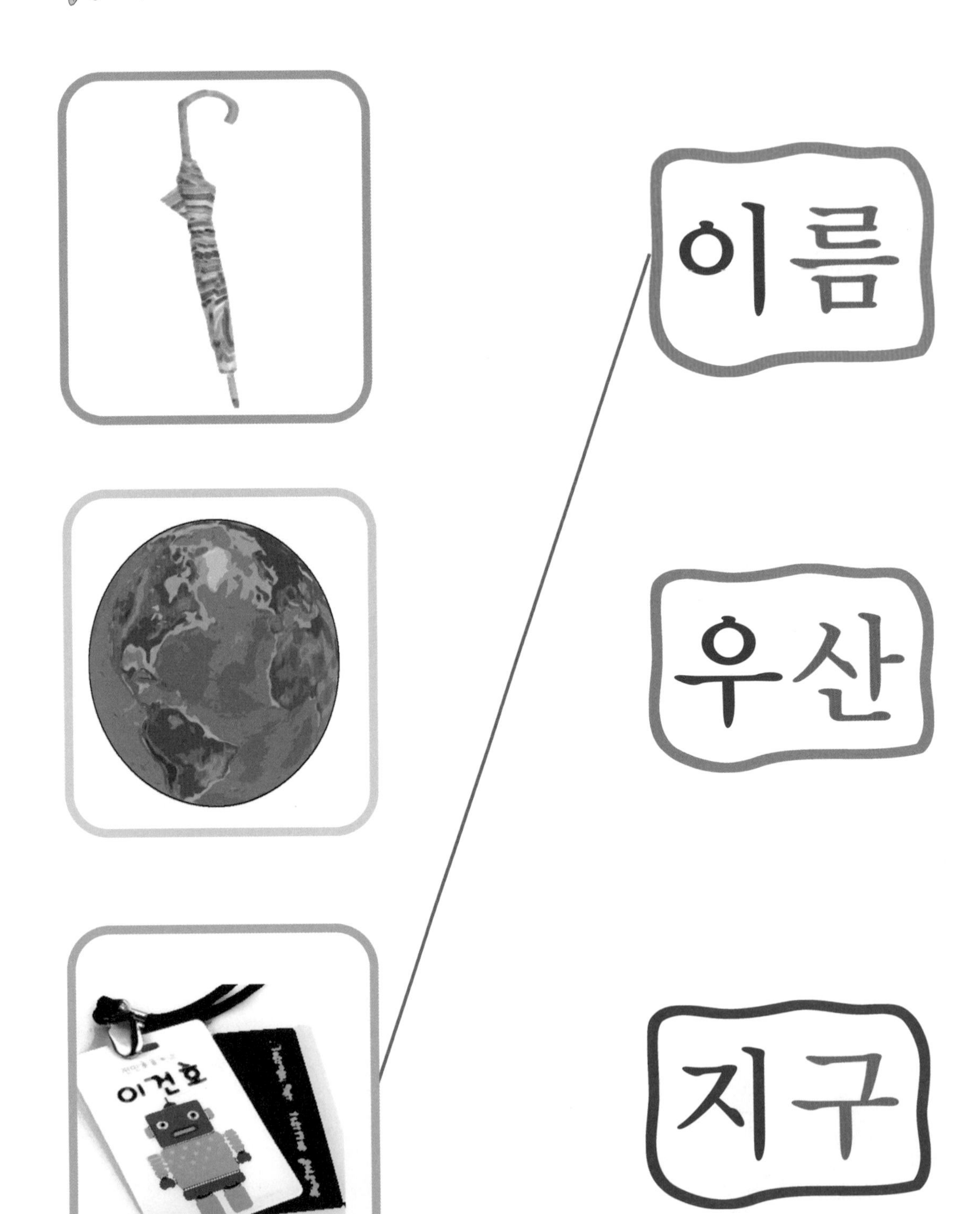

☆그림을 보고 예쁘게 따라 써 봅시다.

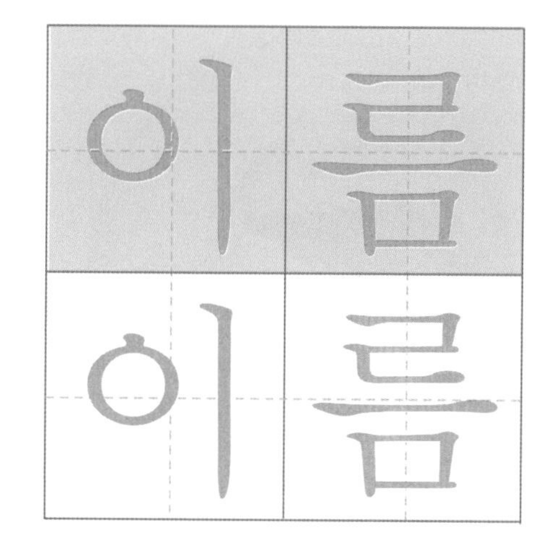

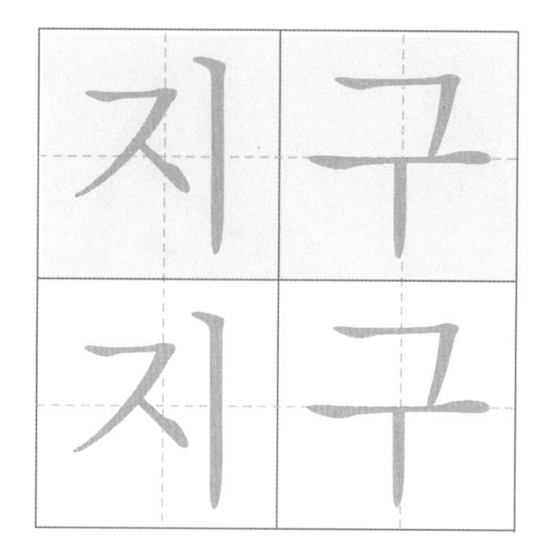

'ㅅ ㅇ ㅈ'이 들어간 글자를 선으로 연결하여 봅시다.

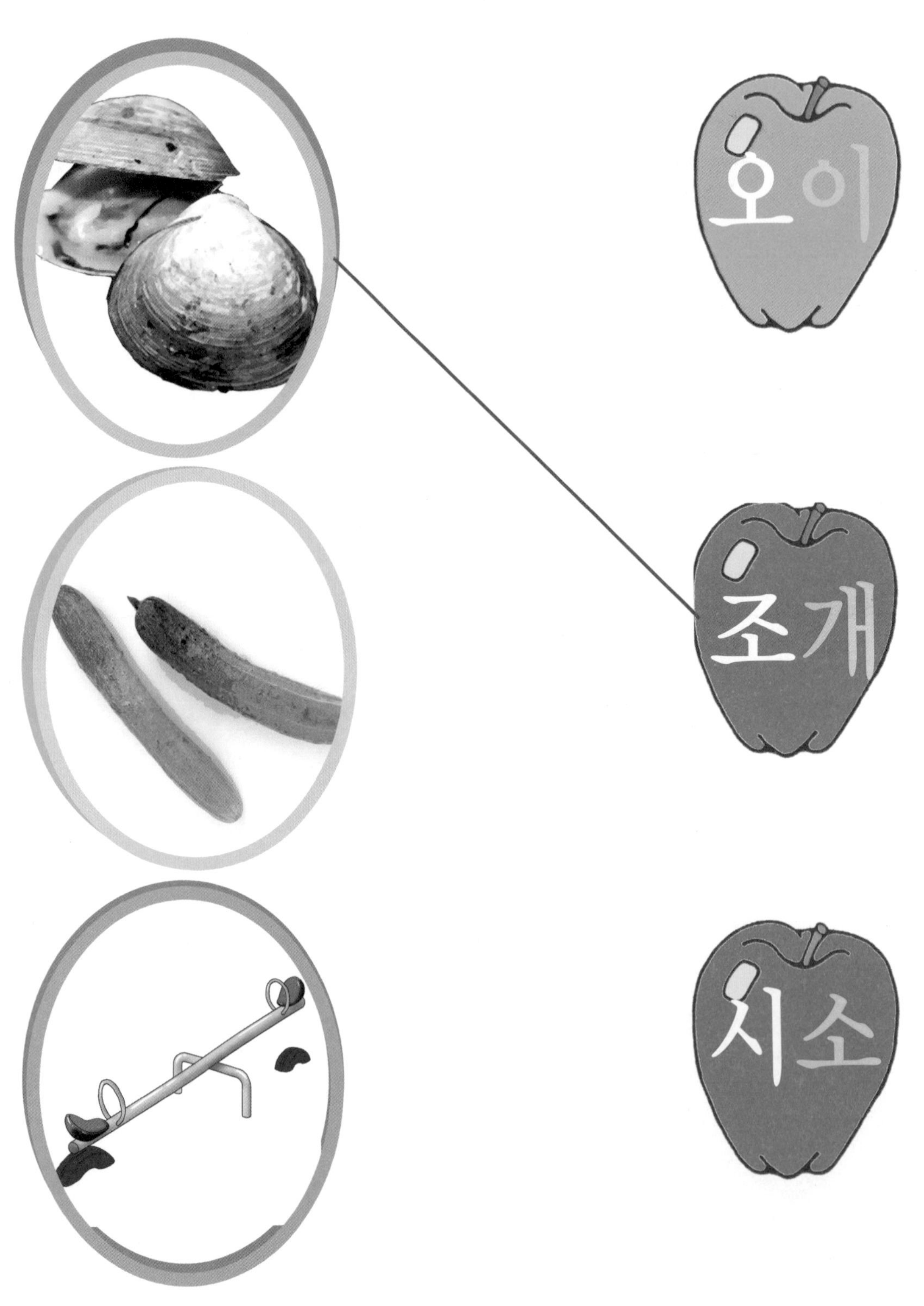

☆ 'ㅅ ㅇ ㅈ'이 들어간 낱말을 예쁘게 따라 써 봅시다.

야	구	자	라	소	라
야	구	자	라	소	라
야	구	자	라	소	라

그림을 보며 예쁘게 따라 써 봅시다.

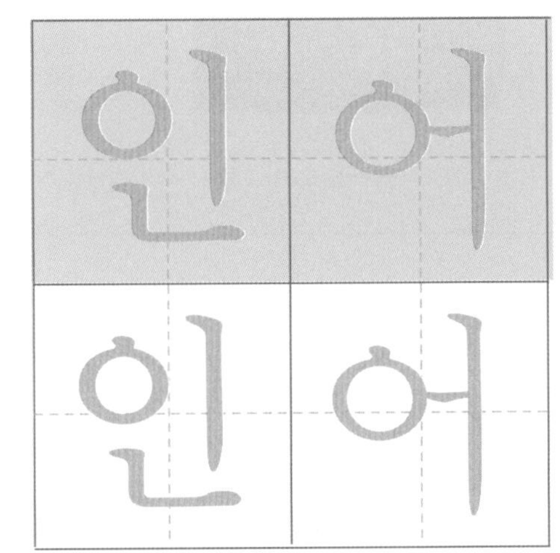

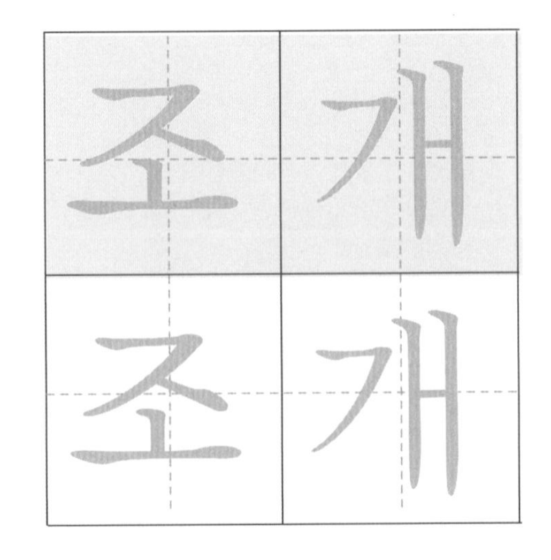

건국우유

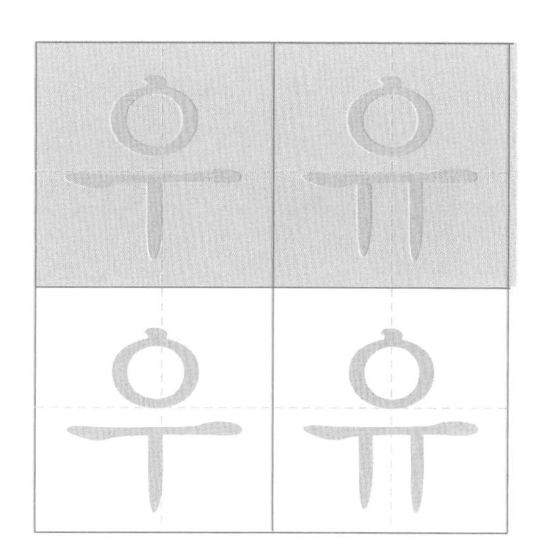
우유
우유

우물
우물

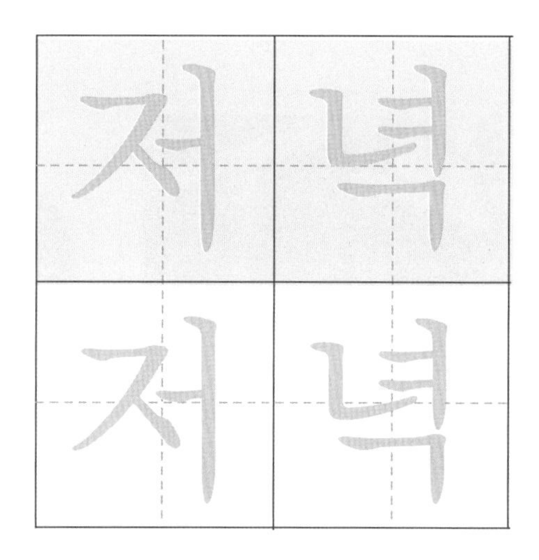
저녁
저녁

알맞은 것끼리 선으로 연결하여 봅시다.

자음 'ㅂ ㅅ ㅇ'을 예쁘게 써 봅시다.

ㅂ	ㅂ	ㅂ	ㅂ	ㅂ
ㅂ	ㅂ	ㅂ	ㅂ	ㅂ

ㅅ	ㅅ	ㅅ	ㅅ	ㅅ
ㅅ	ㅅ	ㅅ	ㅅ	ㅅ

ㅇ	ㅇ	ㅇ	ㅇ	ㅇ
ㅇ	ㅇ	ㅇ	ㅇ	ㅇ

'ㅅ' 이 들어간 낱말에 ㅇ표를 해 봅시다.

 'ㅇ' 이 들어간 낱말에 ㅇ표를 해 봅시다.

너구리

은하수

아버지

배 추

어린이(5-6세)

국어 따라쓰기(가)

초판 발행 2016년 12월 5일

글 편집부

펴낸이 서영희 | **펴낸곳** 와이 앤 엠

편집 임명아

본문인쇄 신화 인쇄 | **제책** 세림 제책

제작 이윤식 | **마케팅** 강성태

주소 120-100 서울시 서대문구 홍은동 376-28

전화 (02)308-3891 | **Fax** (02)308-3892

E-mail yam3891@naver.com

등록 2007년 8월 29일 제312-2007-00004호

ISBN 978-89-93557-76-3 63710